Dramas y Poemas para Días Especiales

NUMERO 1

Dramas y Poemas para Días Especiales

NUMERO 1

Por

Adolfo Robleto

EDITORIAL MUNDO HISPANO

EDITORIAL MUNDO HISPANO

7000 Alabama Street, El Paso, TX 79904, EE. UU. de A.

www.editorialmh.org

Nuestra pasión: Comunicar el mensaje de Jesucristo y facilitar la formación de discípulos por medios impresos y electrónicos.

Ediciones: 1952, 1958, 1964, 1968, 1976, 1978, 1980,
1982, 1985, 1986, 1989, 1991, 1994, 1996,
1997, 1998, 2000, 2001, 2002, 2004
Vigésimoprimera edición: 2007

Clasificación Decimal Dewey: 808.82

Temas: 1. Dramas - Colecciones
2. Poesía - Colecciones
3. Días festivos - Programas

ISBN: 978-0-311-07004-6
E.M.H. Art. No. 07004

2 M 5 07

Impreso en Colombia
Printed in Colombia

Contenido

Navidad

Día de las Madres

Temperancia

Día de la Biblia

NAVIDAD

Bienvenida

Todos sean bienvenidos
en esta fiesta sin par;
de gozo estemos henchidos
por la feliz Navidad.

Hoy contentos celebramos
de Jesús el nacimiento;
y a él la gloria le damos
por tan singular portento.

Vayamos con los pastores
a visitar a Jesús,
y allí cantemos loores
al que es del mundo la luz.

También sigamos la estrella
cual los magos del Oriente,
que presurosos tras ella
vieron al Niño sonriente.

Y con ellos ofrendemos
hoy alegres nuestros dones:
Mirra, Incienso y Oro demos
con humildes corazones.

Esta fiesta dedicamos
a Jesús, el Rey de Paz;
y a ustedes les deseamos:
una feliz Navidad.

Bienvenida

Una cordial bienvenida
en la feliz Navidad:
esta Iglesia muy henchida
os desea de verdad.

Hoy alegres celebramos
el nacimiento del Rey.
Nuestra lealtad le expresamos,
cumpliendo su santa ley.

El programa que veréis
no fue hecho a perfección,
mas confiamos gozaréis
con todo el corazón.

La Navidad

Desde el trono de celestial altura
a este mundo de maldades lleno,
vino el Dios-Hombre en el humilde seno
de María, la virginal criatura.

Los ángeles, con singular dulzura:
nuevas de gozo a los pastores dieron;
y entonces éstos hasta el pesebre fueron,
por ver al Niño do su luz fulgura.

También tres magos desde Oriente llegan,
y abriendo ante el Niño sus tesoros;
Oro y Mirra e Incienso entregan
mientras prorrumpen celestiales coros:
"Paz a los hombres y buena voluntad:
tal es la fiesta de la Navidad."

¿Qué Nombre le Pondremos?

Llénese el hombre de paz y gozo,
ría de júbilo y de alborozo,
que se han cumplido sus esperanzas.
Deje lo malo, viejas andanzas,
su rumbo incierto, su cruel dolor,
que ya la aurora de un claro día,
nos trae nuevas, ¡oh qué alegría!
es que ha nacido el Salvador.

Sigan su marcha todos los astros,
mezan las palmas los leves Austros,
y a Dios tributen grato loor;
que el Verbo eterno, fuente de amor,
el que es la gracia del sumo bien:
del cielo al mundo ha descendido
y es ese Niño recién nacido
en el pesebre que está en Belén.

Angeles todos de albo ropaje,
del arpa santa de real cordaje
brindad al Niño canciones de oro;
decid al mundo que amargo lloro
para el que crea más nunca habrá:
las profecías se han cumplido,
pues ya tenemos al Prometido,
quien con su sangre nos salvará.

¿Cuál es el nombre que le pondremos?
¿Cómo nosotros le llamaremos
cuando es el Hijo del mismo Dios?
De pronto, entonces, se oye la voz
de un ángel puro que envuelto en luz,
dice a los hombres, al anunciarles:
"Puesto que el Niño vino a salvarles,
será su nombre: el buen Jesús."

Venid Todos

Venid todos los mortales
a la aldea de Belén;
todos los que ansiáis el bien
y el remedio de los males.
Hoy unid vuestros ideales
en cristiana devoción,
hoy abrid el corazón
para aceptar a Jesús;
él es del mundo la luz
y ofrece al hombre perdón.

Y este Niño tan sonriente,
tan humilde y tan pequeño,

quién creyera que es el Dueño
de la tierra y de la gente.
Es el Dios Omnipotente
que en su grandísimo amor,
viene al mundo de dolor
a irradiarlo de su luz,
viene a morir en la cruz,
viene a ser tu Redentor.

Esta noche es Noche Buena,
es la noche sin igual;
es la noche en que el mortal
debe olvidar toda pena.
De gozo el alma se llena,
el pecho salta de amor,
que no exista más rencor,
todos alegres cantemos
y la gloria tributemos
a Jesús, el Salvador.

Por la Navidad

Letra adaptada a la música del himno:
"En la Nueva Jerusalem," No. 91 de "Cantos de Triunfo."

Qué glorioso es el día de la grata Navidad,
festejando el nacimiento del gran Rey;
cuando en este mundo obscuro se mostró la claridad;
el deseado de Israel.

Coro:

Bienvenido sea Cristo hoy en cada corazón,
por la Navidad, por la Navidad.
Resplandezcan nuestros rostros de alegría y de emoción,
por la grata Navidad.

En Belén os ha nacido el divino Redentor,
fue el solemne y gran anuncio angelical;
y al momento los pastores descendieron con fervor;
al Mesías a contemplar.

Hoy nosotros presentemos a Jesús, el Rey de paz
nuestra humilde gratitud y devoción;
y su gloria siempre brille de la tierra en su ancha faz,
dando a todos su bendición.

Cristo Descendió del Cielo

(Se canta con la Música de: "Cristo Amante" o puede usarse como poema).

Cristo descendió del cielo
a este mundo de dolor;
para darnos su consuelo
prueba hermosa de su amor.

En Pesebre muy humilde
puesto fue el Rey Jesús,
mas glorioso siempre vive
en la sempiterna luz.

Noche santa fue aquella
en la aldea de Belén;
cuando la brillante estrella
señaló al Sumo Bien.

Y los coros celestiales
himnos dieron de loor:
"Paz reciban los mortales,
Gloria sea al Redentor".

Hoy unamos nuestras voces
de sentida gratitud
y Dios quiera que rebose
en nosotros la salud.

Aleluya, aleluya,
te cantamos con loor:
sea siempre sólo tuya,
nuestra vida, oh Salvador.

Una Virgen muy humilde
fue la madre del Señor:
pues que Dios siempre se sirve
de quien anda en su amor.

Oh misterio más sublime
es el de la Encarnación:
con los hombres Dios conviene
en hacer su habitación.

Acróstico: "Feliz Navidad"

Cuadro en que aparecen doce niñas, llevando cada una de ellas una letra grande, color rojo o verde, y alineadas en tal forma, que, presentando cada una su letra respectiva, diga: "Feliz Navidad." Pueden entrar cantando algún cantito navideño y también cantar al final. Si se prefiere, pueden tomar parte igual número de niños y niñas.

Fue en la aldea de Belén,
la ciudad del rey David;
donde apareció el bien
que nos vino a redimir.

En un rústico mesón,
atestado de animales;
alumbró la salvación
y el remedio de los males.

Luz del cielo descendió
aquella noche sin par
y el eco también se oyó
de un melodioso cantar.

Iban todos muy contentos
presurosos a Belén;
anunciando los portentos
del que nos trajo el bien.

Zumbido de alas se oía
con los ángeles del cielo;
trajo a la tierra alegría
y dio a los hombres consuelo.

Nació sin pompas ni gloria
quien fue el Señor de señores;
cambió el rumbo de la historia
y amó a los pecadores.

Anuncios angelicales
en las colinas se oyeron:
"Sea paz a los mortales
y gloria a Dios en los cielos."

Vino al mundo de dolor
a irradiarlo con su luz;
dicha encuentra el pecador
en el divino Jesús.

Iluminó con su vida
las tinieblas del error;
y la humanidad perdida
encontró su Redentor.

Dádiva hermosa fue él
para el mundo pecador.
Su nombre es Emmanuel,
rey de todos y Señor.

Ante él brindemos laureles
de sentida gratitud,
pues por él todos los fieles
disfrutamos de salud.

Día sea inolvidable
esta feliz Navidad
y sienta gozo inefable
los que aman la Verdad.

El Príncipe de Paz y las Naciones

Dramatización

Personajes: un lector, José, María y dos ángeles, y 14 niñas representando a las 14 naciones siguientes: China, el Japón, la India, Rusia, Alemania, España, Inglaterra, Francia, Egipto, Estados Unidos, México, Brasil, Argentina, Nicaragua.

El pesebre iluminado está al fondo y en el centro del escenario. José y María detrás del pesebre y si es posible, dos ángeles, uno a cada lado. Entran las niñas, con sus trajes regionales y portando la bandera del país que representan, marchando y cantando, con la música de "Firmes y Adelante." Se dividen en dos líneas, una a cada lado, de siete niñas cada línea. Después que cantan, se oye una voz oculta, la del lector, leyendo algunos textos bíblicos y al terminar canta un coro oculto, con majestad: "Loores dad a Cristo el Rey," sólo una estrofa. Entonces las niñas hablan diciendo cada una su estrofa y poniendo inmediatamente su bandera en cada uno de los hoyitos de un renglón en forma de ángulo obtuso, el cual está al pie del pesebre. Las banderas pueden hacerse con papel espermado, pegadas a varitas rollizas. Al terminar de hablar, las niñas, todas dicen una estrofa y luego cantan con la música de "Dad a Dios Inmortal Alabanza." Después salen, siempre marchando y si es posible haciendo algún ejercicio simétrico en la plataforma.

Somos las naciones
de un alto ideal.
Nuestros batallones
luchan contra el mal.
Hoy nos dirigimos
con radiante faz
y a Jesús seguimos,
Príncipe de paz.

Coro:

No queremos guerra
ni pelear ya más.
Trabajar la tierra
y vivir en paz.

El lector: "El pueblo que andaba en tinieblas vio gran luz: los que moraban en tierra de sombra de muerte, luz resplandeció sobre ellos. Aumentando la gente, no aumentaste la alegría. Alegraránse delante de ti como se alegran en la siega, como se gozan cuando reparten despojos." "Porque un niño nos es nacido, hijo nos es dado; y el principado sobre su hombro: y llamaráse su nombre Admirable Consejero, Dios fuerte, Padre eterno, Príncipe de Paz. Lo dilatado de su imperio y la paz no tendrán término, sobre el trono de David, y sobre su reino, disponiéndolo y confirmándolo en juicio y en justicia desde ahora para siempre. El celo de Jehová de los ejércitos hará esto." "Levántate, resplandece, porque ha venido tu luz y la gloria de Jehová ha nacido sobre ti, y las naciones vendrán a tu luz y reyes a tu naciente esplendor." "Bienaventurados los pacificadores porque ellos serán llamados hijos de Dios." "Mi paz os dejo, mi paz os doy; no como el mundo la da: yo os la doy."

Jesucristo es el Príncipe de paz; las naciones que lo reconozcan como Rey y Señor, transformarán sus armas de guerra en implementos de labranza. "Bienaventurada es la gente de que Jehová es su Dios."

Cantan:

> "Loores dad a Cristo el Rey,
> suprema potestad.
> De su divino amor la ley,
> postrados aceptad."

China:

> Muy extenso es mi país
> y mil guerras ha tenido,
> pero hoy arrepentido
> quiere en Cristo ser feliz.

El Japón:

> Yo represento al Japón
> en esta noche sin par;
> y sea nuestra ambición
> el evangelio aceptar.

La India:

> Sin Cristo estamos perdidos,
> solo él ofrece paz;
> pero ansiamos hoy unidos
> brillar del mundo a la faz.

Rusia:

> Tan grande, no hay como Rusia
> otra nación en la tierra;
> desde hoy dejamos la astucia
> y en Cristo odiamos la guerra.

Alemania:

> En Alemania vio origen
> el Arbol de Navidad,
> y hoy los ojos todos fijen
> en nuestra calamidad.

España:

> España da su bandera
> al que es de todos el Rey,
> y quiere ser la primera
> en cumplir su santa ley.

Inglaterra:
> Sin Cristo la vida es caos,
> sin él vivimos en guerra.
> "Sed valientes y esforzaos,"
> nos dice nuestra Inglaterra.

Francia:
> Cuando Cristo marcha al frente
> dirigiendo los destinos,
> en paz viven nuestras gentes
> y en prósperos caminos.

Egipto:
> Egipto adopta también
> los principios de Jesús,
> y en la cuna de Belén
> recibe diáfana luz.

Estados Unidos:
> Y los Estados Unidos
> Deben todo lo que son
> al Niño que es nacido
> en el humilde mesón.

México:
> Nuestra bandera ofrecemos
> al Niñito de Belén;
> él nos dio cuanto tenemos:
> gozo, dicha, paz y bien.

Brasil:
> Muy queridas compañeras,
> no me quedaré yo atrás:
> deposito mi bandera
> ante el Príncipe de paz.

Argentina:
> Grande y fuerte es la Argentina
> y del progreso va en pos,
> y su bandera se inclina
> sólo ante el Hijo de Dios.

Nicaragua:
> Nicaragua muy gustosa
> vuestro ejemplo sigue fiel;
> su historia será gloriosa,
> tras las huellas de Emmanuel.

Todas:

Fuertes naciones seamos,
de Cristo marchando en pos;
y este mundo que habitamos
será morada de Dios.

Cantan:

Dios bendiga a nuestras naciones
y las colme de paz verdadera;
y nos libre de las ambiciones
y proscriba por siempre la guerra.
Si buscamos humildes la senda
del invicto y glorioso Jesús,
en el mundo no habrá ya más penas,
vamos, pues, y sigamos su luz.

Vamos a Belén

Dramita para tres jovencitos. Vestidos a la usanza oriental. Lea aparece en el escenario y contempla el cielo. Al ver una reluciente estrella, alborozada llama a Lemuel, quien entra inmediatamente.

Lea: ¡Lemuel, Lemuel, ven pronto!

Lemuel: ¿Qué te sucede, Lea? Aquí estoy.

Lea: Mira allá arriba (le señala). ¿No ves aquella estrella? ¡Qué reluciente! ¡Nunca he visto otra igual!

Lemuel: (fijándose). En verdad que es hermosa. ¿Y sabes?, me parece que esta estrella anuncia algo maravilloso.

Lea: ¿Por qué, Lemuel, dices eso?

Lemuel: Pues no hace muchos meses que asistí a la sinagoga y allí el rabí Gamaliel nos dio una explicación sumamente interesante. Nos dijo que las profecías hablaban del aparecimiento de un lucero cuando el Mesías naciera.

Lea: ¡Qué lindo! ¡Que pudiéramos verlo hoy para que nos explicara mejor!

Lemuel: (Mirando hacia afuera). ¡Qué casualidad! Allá viene. Y parece que va de viaje hacia algún lugar.

Lea: ¡Qué bueno! ¡Yo le voy a preguntar!

(En esto entra Gamaliel).

Lea: Rabí, Gamaliel. (Con respeto).

Gamaliel: ¿Qué se os ofrece, hijos queridos?

Lea: ¿No has visto tú la reluciente estrella que apareció en el cielo? ¿Cuál es su significado?

Gamaliel: ¡Claro que sí! Yo y todos los de casa allá en Jerusalem divisamos la estrella. Es la estrella de Jacob de que habló el profeta. Nuestro Mesías ha nacido en la ciudad del gran rey David. Unos pastores me contaron que ellos mismos en persona vieron al Niño en un pesebre en Belén. Es precioso. Yo me dirijo hacia allá, pues quiero verlo también. ¿No queréis acompañarme?

Lea: ¿Qué dices tú, Lemuel?

Lemuel: Vamos. No debemos perder esta gloriosa oportunidad. La estrella, sin duda, nos guiará. Sigamos su luz.

Gamaliel: Tomemos este camino. (Salen).

Lea: ¡Qué felices seremos viendo al Hijo de Dios!

Navidad Infantil

Dramatización

Todos los personajes de la historia de la Navidad son representados por niños y niñas, desde la edad de siete años hasta la de doce. Van apareciendo en el escenario según el orden de la lectura y haciendo todos los movimientos pertinentes. Todos llevan sus disfraces orientales. Deben ser dirigidos muy bien por la persona encargada, desde un lugar donde no la vea el público. Dando atención a todos los detalles, esta dramatización resulta muy bonita e interesante, más tratándose de los niños.

(Aparece una sala humilde. Es la casa de habitación de la virgen María. Se oye la voz del lector, quien está oculto: lee en alta voz).

I. *La profecía.* Isaías 7:14; 9:2,3.

Lector: "Por tanto el mismo Señor os dará señal: He aquí que la virgen concebirá y dará a luz un hijo, y llamará su nombre Emmanuel."

"El pueblo que andaba en tinieblas vio gran luz: los que moraban en tierra de sombra de muerte, luz resplandeció sobre ellos. Aumentando, la gente, no aumentaste la alegría. Alegraránse delante de ti como se alegran en la siega, como se gozan cuando reparten despojos."

II. *La anunciación a María.* Lucas 1:26-38.

(Entra María con una escoba y se pone a barrer y a sacudir. Cuando el lector comienza a leer, ella se pone a meditar).

Lector: "Y al sexto mes, el ángel Gabriel fue enviado de Dios a una ciudad de Galilea, llamada Nazaret, a una virgen desposada con un varón que se llamaba José, de la casa de David: y el nombre de la virgen era María."

"Y entrando el ángel adonde estaba (entra el ángel), dijo: (levanta la mano, como saludando y anunciando) Salve, muy favorecida. El Señor es contigo: bendita tú entre las mujeres. Mas ella, cuando le vio, (Se asusta) se turbó en sus palabras y pensaba qué salutación fuese ésta. Entonces el ángel le dijo: María, no temas, porque has hallado gracia cerca de Dios. Y he aquí, concebirás en tu seno y parirás un hijo, y llamarás su nombre Jesús. Este será grande, y será llamado Hijo del Altísimo: y le dará el Señor Dios el trono de David su padre: y reinará en la casa de Jacob por siempre; y de su reino no habrá fin."

"Entonces María dijo al ángel: (el ángel baja la mano y María hace un ademán de preguntar) ¿Cómo será esto? porque no conozco varón. Y respondiendo el ángel le dijo: (levanta nuevamente la mano) el Espíritu Santo vendrá sobre ti y la virtud del Altísimo te hará sombra; por lo cual también lo Santo que nacerá será llamado Hijo de Dios. Y he aquí, Elisabet tu parienta, también ella ha concebido hijo en su vejez; y éste es el sexto mes a ella que es llamada la estéril: porque ninguna cosa es imposible para Dios."

"Entonces María dijo: (inclina su cabeza y junta sus manos, en señal de sumisión) He aquí la sierva del Señor; hágase a mí conforme a tu palabra."

"Y el ángel partió de ella" (Sale). Telón.

III. *La anunciación a José.* Mateo 1:18-24.

(José aparece acostado).

Lector: "Y el nacimiento de Jesucristo fue así: que siendo María su madre desposada con José, antes que se juntasen se halló haber concebido del Espíritu Santo. Y José, su marido, como era justo, y no quisiese infamarla, quiso dejarla secretamente."

"Y pensando él en esto, (Entra el ángel, y levanta su

mano hacia José, quien siempre está dormido) he aquí el ángel del Señor, le aparece en sueños, diciendo: José, hijo de David, no temas de recibir a María tu mujer, porque lo que en ella es engendrado, del Espíritu Santo es."

"Y dará a luz un hijo, y llamarás su nombre Jesús, porque él salvará a su pueblo de sus pecados. Todo esto aconteció para (sale el ángel) que se cumpliese lo que fue dicho por el Señor, por el profeta que dijo: He aquí la virgen concebirá y parirá un hijo, y llamarás su nombre Emmanuel, que declarado es: con nosotros Dios."

"Y despertando José del sueño, (se despierta) hizo como el ángel del Señor le había mandado, y recibió a su mujer." (José sale y saca a María del brazo y la introduce en la casa.)

IV. *El empadronamiento.* Lucas 2:1-7.

Lector: "Y aconteció en aquellos días que salió edicto de parte de Augusto César, que toda la tierra fuese empadronada. Este empadronamiento primero fue hecho siendo Cirenio gobernador de la Siria. E iban todos para ser empadronados, cada uno a su ciudad."

"Y subió José de Galilea (José toma a María y salen con dirección a Belén), de la ciudad de Nazaret, a Judea a la ciudad de David, que se llama Belén, por cuanto era de la casa y familia de David; para ser empadronado con María su mujer, desposada con él, la cual estaba en cinta." (Telón). Se arregla el escenario algo así como un mesón; el pesebre está en una esquina cerca de una puerta por donde se pueda entrar y salir; si no se puede esto, entonces una mampara puede servir para formar algo así como un cuarto, con su entrada. Sigue ahora el lector:

"Y aconteció que estando ellos allí (José y María aparecen junto al pesebre) se cumplieron los días en que ella había de dar a luz, y dio a luz a su hijo primogénito, y le envolvió en pañales (hace el simulacro María de poner al niño en el pesebre) y acostóle en un pesebre, porque no había lugar para ellos en el mesón." (Se cierra el telón. Se quita el pesebre y se simula un campo, con ramas de árboles).

V. *Los pastores y los ángeles.* Luc. 2:8.

Lector: "Y había pastores en la misma tierra, que velaban y guardaban las vigilias de la noche sobre su ganado" (Entran los pastorcitos y se acuestan. Entonces se oye el canto: Noche de paz, noche de amor. Luego entra el ángel, levanta la mano y les anuncia, mientras el lector lee).

Lector: "Y he aquí el ángel del Señor vino sobre ellos y la claridad de Dios los cercó de resplandor y tuvieron gran temor." (Los pastorcitos se sientan como asustados).

"Mas el ángel les dijo: No temáis; porque he aquí os doy nuevas de gran gozo, que será para todo el pueblo: que os ha nacido hoy, en la ciudad de David, un Salvador, que es Cristo el Señor." "Y esto os será por señal: hallaréis al niño envuelto en pañales, echado en un pesebre." (Entran los otros angelitos).

Lector: Y repentinamente fue con el ángel una multitud de los ejércitos celestiales, que alababan a Dios y decían: Gloria en las alturas a Dios, y en la tierra paz, buena voluntad para con los hombres.

(En esto se oye un canto: "Gloria a Dios en las alturas," la primera estrofa).

Lector: "Y aconteció que como los ángeles se fueron de ellos al cielo, (salen), los pastores dijeron los unos a los otros: (se vuelven a ver) pasemos, pues, hasta Belén y veamos esto que ha sucedido, que el Señor nos ha manifestado."

Lector: "Y vinieron aprisa (salen y José saca el pesebre y lo coloca junto a la mampara o a la otra puerta de salida y se pone detrás de él con María, como contemplando al niño. En eso regresan los pastores).

Lector: ". . .y hallaron a María y a José, y al niño acostado en el pesebre. Y viéndolo hicieron notorio lo que les había sido dicho del niño. Y todos los que oyeron, se maravillaron de lo que los pastores les decían.

"Mas María guardaba todas estas cosas, confiriéndolas en su corazón" (Junta las manos).

"Y se volvieron los pastores glorificando y alabando a Dios de todas las cosas que habían oído y visto, como les había sido dicho." (Se vuelven. Telón).

VI. *Los Magos y Herodes.* Mateo 2:1-9a.

(Aparece el rey Herodes en su trono y un centurión a cada lado).

Lector: "Y como fue nacido Jesús en Belén de Judea, en días del rey Herodes, he aquí unos magos vinieron del oriente a Jerusalem diciendo: (entran los magos, viendo hacia arriba como buscando la estrella, de pronto ven a Herodes y se inclinan ante él saludándolo y él los saluda también) ¿Dónde está el rey de los Judíos, que ha nacido? porque su estrella hemos visto en el oriente, y venimos a adorarle."

"Y oyendo esto el rey Herodes, se turbó y toda Jerusalem con él. Y convocados todos los escribas del pueblo (entra el Escriba con el rollo en las manos y saluda) y los príncipes de los sacerdotes, les preguntó dónde había de nacer el Cristo. (El escriba lee del rollo).

Escriba: "En Belén de Judea, porque así está escrito por el profeta: y tú, Belén de tierra de Judá, no eres muy pequeña entre los príncipes de Judá; porque de ti saldrá un guiador que apacentará a mi pueblo Israel." (Se va el Escriba).

"Entonces Herodes, llamando en secreto a los magos, entendió de ellos diligentemente el tiempo del aparecimiento de la estrella; y enviándolos a Belén, dijo: (Levanta el brazo), "Andad allá y preguntad con diligencia por el niño; y después que le hallareis, hacédmelo saber, para que yo también vaya y le adore. Y ellos, habiendo oído al rey, se fueron." (Dan una vuelta en la plataforma para luego dirigirse a Belén. Se cierra el telón y se arregla nuevamente el mesón con el pesebre y José y María presentes. Al abrirse el telón, entran los magos despacio, mientras el lector sigue leyendo).

Lector: " . . .y he aquí la estrella que habían visto en el oriente, iba delante de ellos, hasta que llegando se puso sobre donde estaba el niño. Y vista la estrella, se regocijaron con muy grande gozo. Y entrando en la casa, vieron al niño con su madre María, y postrándose, le adoraron, y abriendo sus tesoros, le ofrecieron dones, oro, e incienso y mirra." (Los magos se postran y presentan sus tesoros. Se levantan, se despiden y comienzan a salir muy despacio).

Lector: "Y siendo avisados por revelación en sueños que no volviesen a Herodes, se volvieron a su tierra por otro camino."

VII. *La huída a Egipto.* Mateo 2:13-15.

(María disimuladamente se retira escondiéndose detrás de la mampara. José se acuesta junto al pesebre y se queda como dormido).
Lector: "Y partidos ellos, he aquí el ángel del Señor

aparece en sueños a José diciendo: (entra el ángel y levanta la mano).

"Levántate y toma al niño y a su madre, y huye a Egipto, y estate allá hasta que yo te lo diga; porque ha de acontecer, que Herodes buscará al niño para matarlo." (Sale el ángel y José se despierta y se levanta y se introduce a sacar a María, con quien atraviesa el escenario para salir por la puerta opuesta.

Lector: "Y él despertando, tomó al niño, y a su madre, de noche, y se fue a Egipto." (Telón).

VIII. *Cuadro: alrededor del pesebre.*

(Se coloca el pesebre en el centro; José y María detrás y todos los demás personajes de la historia de la Navidad aparecen también alrededor del pesebre, en arreglo artístico, todos mirando hacia el pesebre, el cual deberá estar iluminado y entonces cantan, con la música de "Nos veremos en el río.")

Al pesebre todos vamos
a mirar al rey Jesús;
y contentos le ofrendamos
el tesoro de nuestra salud.

Coro:

Sí, con Cristo reinaremos
cuando él venga de los cielos;
y en la Navidad tenemos
de Cristo la célica paz.
(Telón).

El Arbolito de Navidad

Dramita de Navidad

Cuadro Primero

(Una sala más o menos decentemente arreglada. Olga, la señora de la casa está sentada preparando unos regalos de Navidad. De pronto se oye que llaman a la puerta).
(Tan, tan, tan.)
Olga: ¿Quién es?
Luisa: Yo, Olga, vengo a visitarte.

Olga: Ah, eres tú, Luisa. Como no. Pasa adelante. Siéntate.

Luisa: Gracias, Olga, y ¿qué tal han estado?

Olga: Pues bastante bien. Los niños no han llegado de la escuela.

Luisa: Figúrate que recibí el nombramiento para maestra en el pueblecito de San Vicente.

Olga: ¡Que bueno, Luisa! ¡Te felicito! Eso es lo que tú querías. ¿No es cierto?

Luisa: Ah sí, por supuesto. Siempre tuve el deseo de trabajar con los niños muy pobres, para ayudarles. Después que pase la Navidad me iré. ¡Cuánto no deseara llevarles algún regalito! ¿Y por qué te miro tan afanada?

Olga: Ah sí. Estoy preparando los regalos para mis niños. Los pondré mañana en el árbol de Navidad. ¡Vieras qué locos están! Esperamos que tú estés con nosotros mañana. No faltes.

Luisa: Gracias, Olga. Te prometo venir.

Olga: Ay, Luisa. Ya son las cuatro. Parece que por ahí vienen los muchachos. Voy a guardar todo esto porque no quiero que se den cuenta antes de tiempo. Quiero darles una sorpresa. (Esconde todo prestamente y Luisa también le ayuda. Entonces entran los muchachos de la escuela, con sus bultos, alegres y bullangueros).

Muchachos: Buenas tardes, mamá. (No ven hacia donde está Luisa sentada).

Olga: Buenas tardes, hijitos.

Julia: (Como de nueve años). ¡Ay, qué bueno! Mañana es Navidad. ¿Qué nos irá a traer el Niño?

Olga: Bueno, ¿y no van a saludar a nuestra amiga Luisa? ¿Qué ya no la conocen?

José: (Como de siete años). No la habíamos visto. (Entonces van a saludarla).

Teresa: (Como de diez años). ¡Entramos tan alegres!

Julia: ¿Y qué nos irá a traer el Niño? ¡Quisiera saber!

Olga: Y ya hasta se les olvidó poner los bultos en su lugar. Vayan a guardarlos.

Muchachos: Cómo no, mamá.

(Salen con sus bultos y libros).

Carmen: (Niña como de siete años). Yo quisiera que el Niño me trajera una muñeca.

Olga: ¡Qué muchachos! ¡No se aguantan!

Luisa: Así son. Pero divierten mucho. Bueno Olga, tengo que irme, ya es tarde.

Olga: Está bien, Luisa. Y no olvides venir mañana por la noche.
Luisa: Sí. Adiós.
Olga: Adiós.

(Telón)

Cuadro Segundo

(Aparece la madre en la sala. Al fondo y en el centro hay un arbolito de Navidad. La madre entonces comienza a sacar los regalos y los va colocando al pie del arbolito y colgando otros, mientras dice).

Olga: No han llegado los muchachos. Pero vale más. Así me dan tiempo de terminar antes que lleguen. ¡Qué alegres se pondrán!
(En esto entran los niños. Al entrar, ven el arbolito y se llenan de asombro y alegría).
Julia: Muchachos, el arbolito de Navidad. Ahí están los juguetes. (Señalando).
Los demás: Sí, sí, qué lindo. (Quieren tocar).
Olga: Bueno, mis hijitos, pero antes de que reciban sus regalos, siéntense.
Los muchachos: Sí, mamá. (Se colocan en sus asientos alrededor de ella).
Carmen: Dicen que la historia de la Navidad es muy bonita. ¿Quieres contárnosla, mamá?
Olga: Con mucho gusto, Carmencita, precisamente eso es lo que iba a hacer. Pongan, pues, atención. (En esto entra Luisa).
Luisa: Ajá, como que vine tarde.
Olga: No, Luisa, llegas a tiempo, pues en estos momentos les voy a relatar a los muchachos la historia de la Navidad.
Luisa: Qué bueno; yo también quiero oírla para contársela a los niños de San Vicente.
Olga: La historia de la Navidad es la historia del nacimiento de Jesús. Su madre fue María. Nació en Belén y su madre lo puso en un pesebre, pues ella y su esposo, José, eran muy pobres. Unos ángeles vinieron del cielo y les anunciaron a los pastores de Belén tan gratas nuevas. Estos corrieron al pesebre y adoraron al Niño Jesús. También llegaron desde tierras muy lejanas unos hombres sabios llamados magos. Ellos le dieron a Jesús valiosos regalos.

Julia: ¿Y para qué vino Jesús al mundo?

Olga: El vino para salvarnos a nosotros y por eso derramó su preciosa sangre en la cruz del Calvario. Ahora todos los que creen en él, aceptándolo como Salvador, reciben el perdón de sus pecados, y la vida eterna.

José: ¡Qué interesante todo esto!

Julia: ¿Y por qué no nos das ya nuestros juguetes, mamá?

Olga: Está bien, hijita, vamos a hacerlo.

(la madre se levanta y comienza a levantar los regalos y los va entregando, leyendo los nombres puestos en ellos).

Julia. Carmen. José. Teresa. (Cada uno de los niños va muy alegre a recibir su regalo, pero quedan todavía algunos regalos al pie del arbolito y otros colgados).

Julia: Pero, mamá, doña Luisa no recibió nada.

Olga: ¿Y a ustedes les gustaría que ella recibiera también?

Todos: Sí, sí, mamá. Cómo no.

Olga: Muy bien, niños, me satisface el hermoso espíritu de ustedes. Doña Luisa va para San Vicente y allí los niños son muy pobres. Yo creo que le podemos dar estos juguetes para que ella los obsequie a los niños de San Vicente.

Luisa: Muchas gracias, Olga, y a ustedes también niños, porque son muy generosos.

Carmen: Mamá, y los otros niños del vecindario ¿recibirán también juguetes como nosotros?

Olga: Probablemente que no todos, pues algunos son pobres y no pueden comprarlos. Ustedes han recibido bastante, ¿no quisieran darle a sus amiguitos?

José: A mí me gustaría hacerlo, pues a ellos les gusta divertirse también como nosotros.

Julia: ¿Y por qué no los vamos a traer? Deben estar jugando en la calle.

Olga: Vayan, pues, y vengan pronto. (Salen).

Luisa: ¡Qué simpáticos son tus niños!

Olga: Sí, es que ellos no faltan a la Escuela Dominical de la Iglesia Bautista y allí aprenden cosas muy buenas. Yo por eso siempre los mando a la Escuela Dominical. (En eso entran ellos, trayendo de la mano a varios niños pobremente vestidos).

Julia: Aquí están, mamá.

Olga: Bienvenidos, niños. Queremos que pasen un rato alegre con nosotros esta noche, porque hoy es Navidad.

Rosendo: (Uno de los niños pobres). Sí; mamá nos dijo que hoy es Navidad, pero no nos pudo comprar juguetes porque papá gastó el dinero en las cantinas.

Olga: ¡Qué lástima! Pero no se aflijan. Dios nos ha bendecido a nosotros y podemos hacerles participar a ustedes de nuestra dicha. ¿Quisieran unos juguetitos?

Ellos: ¡Sí, sí, cómo no!

Olga: Tomen, pues. Dios les da estos regalitos. (Se los da).

Ellos: Muchas gracias.

Julia: Mamá, y en la despensa hay dulces de los que nos mandó papá.

Olga: Bueno, pues, ve a traerlos.

(Julia va adentro y trae en un plato dulces)

Teresa: (Adelantándose). A ver, yo se los doy.

Luisa: Tal vez sería bueno que antes de que se fueran, les cantaran un himno de Navidad.

José: Sí, mamá, excelente idea. Cantemos.

Olga: ¿Y qué cantamos?

Carmen: ¿Te acuerdas de "El Arbolito," mamá?

Olga: Sí, el que aprendieron en la Escuela Dominical. Cantemos ese.

(Ella comienza el canto y todos los niños, de doña Olga la siguen. Se canta con la música de "Cristo, bendito," No. 342 del Nuevo Himnario Evangélico.

El arbolito
de la Navidad,
es muy bonito
por su claridad.
Tiene juguetes
y brillante luz,
y él canta alegre
al Niño Jesús.

Vengan los niños
de cualquier color
que el arbolito
no hace distinción;
tiende sus ramas
para darnos sombra
y son sus flores
juguetes a mil

Gracias te damos,
amoroso Padre,
por tu Hijo amado,
que nació en Belén;
nos dio la vida
y felicidad;
y hoy celebramos
la Navidad.

(Al terminar de cantar, se oye de afuera como que llaman con las manos).

Ellos: (Los niños pobres). Mil gracias. Ya nos vamos porque oímos que nos están llamando. Buenas noches.

Olga: Les vamos a acompañar hasta la puerta.

(Todos se dirigen a la puerta, mientras el telón se va cerrando, y se oye parte de la música de "El Arbolito").

(Fin)

Alrededor del Pesebre

Drama

Personajes:

María, José, el Angel, Judá y Melchor (Pastores); Mago 1, 2 y 3, el rey Herodes, el Escriba y un grupo de cantores, dos ángeles más y dos soldados de la corte de Herodes.

PRIMER ACTO

(Aparece María en su casa, barriendo, y limpiando la sala, mientras canta, con la música de "Feliz momento, en que escogí").

María:

¡Qué alegre estoy
aquí en mi hogar,
por eso es que hoy
me oís cantar.
Feliz me siento
al meditar
y alegre al templo
voy a orar.

Soy feliz, soy feliz,
pues el Mesías nos vendrá:
la Biblia dice que es así,
que pronto gozo y dicha habrá:
¡oh Jehová, oh Jehová!
un niño manda a Israel.

(Al concluir, entra de pronto el ángel. María se asusta al verlo).

El Angel:

> Salve muy favorecida,
> soy el ángel que te digo
> que el Señor Jehová es contigo
> y has de ser muy bendecida.
> No tengas temor, María,
> que en tu seno llevarás
> al que nos trae alegría
> y Jesús le llamarás.
> Es el Hijo del Altísimo,
> el prometido Emmanuel,
> es el Ungido Santísimo
> que ha de salvar a Israel.
> Su nombre será Admirable,
> Padre eterno, Rey de paz,
> es el León formidable
> de la tribu de Judá.

María: (Inclinando la cabeza y juntando las manos).

> Soy la esclava del Señor,
> sea en mí su voluntad;
> (Con alborozo)
> Mi Hijo será el Salvador
> de esta pobre humanidad.

(El ángel se va poco a poco. María, entonces, en actitud como de adoración, se arrodilla, junta sus manos sobre el pecho, levanta el rostro y dice):

> Oh qué grande bendición
> la que me has dado, Señor;
> yo también mi corazón
> te lo entrego con amor.
> Que todos puedan saber
> que Jesús viene a salvar,
> yo sólo soy la mujer
> que su seno va a prestar.

(Telón)

SEGUNDO ACTO

(Entran los pastores, despacio y hablan):

Judá:

> ¡Oh qué noche tan helada
> que hasta me hace tiritar,
> quiera Dios que la nevada
> no nos venga a visitar;
> lo mejor es que busquemos
> un apropiado lugar!

Melchor:

> Yo creo que aquí podremos
> esta noche reposar.

Judá:

> Está bien, Melchor querido,
> que descansemos aquí,
> pues me siento muy rendido
> con la jornada que di;
> así es que ahora pensemos
> sólo en dormir y roncar.

Melchor:

> Pero mira, no olvidemos
> las ovejas vigilar.
> Y oye esto, buen Judá
> creo que voy a soñar
> que nuestro gran Jehová
> pronto nos va a libertar.

Judá:

> No me lo digas, Melchor,
> ¿en qué te basas para eso?
> ¿Acaso tienes más seso
> que el Escriba o el Doctor?

Melchor:

> Voy a explicarte, Judá:
> ¿No sabes que hay profecías
> que nos hablan de un Mesías
> que en Belén nacerá?
> Todos esperan con gozo
> de ese Niño el nacimiento,
> y yo creo que muy pronto
> veremos su cumplimiento.

Judá:

> ¡Oh qué dicha, qué alegría!

Melchor:

el Salvador prometido.
¡que naciera en este día
después que hayamos dormido!

Buenas noches, compañero.

Judá:

Hasta mañana, Melchor.

Melchor:

¡Oh que yo fuera el primero
en mirar a mi Señor!

(Se acuestan y se duermen. Luego se oyen las melodías
de "Noche de Paz," por un coro oculto. Al final, el ángel
entra. Una luz especial puede iluminar al escenario al momento de entrar el ángel, mientras las otras luces están
apagadas, para dar mejor efecto).

El Angel:

No temáis, fieles pastores,
pues nuevas de gozo os doy
"Que os es nacido hoy
el Señor de los señores;
en la aldea de Belén,
la ciudad del rey David:
él nos trae paz y bien,
vamos, pues, muy pronto id."
"Y no olvidéis la señal
que os doy con gran precisión:
el Niño envuelto en pañal,
lo hallaréis en el mesón,
acostado en un pesebre,
junto a su madre María.
¡Gloria dad al Niño humilde,
gloria a Dios en este día!"

(Se oye el canto: "Gloria a Dios en las Alturas," mientras entran los otros ángeles, y los pastores se quedan
asombrados. Al terminar el canto salen los ángeles).

Los pastores:

Vamos nosotros también
a ver lo que ha sucedido.

Melchor:

¡Si será el recién nacido
en la aldea de Belén

el Mesías prometido!
Pero oye, buen pastor,
¿qué será de cada oveja?

Judá:

(Con acento).
No te preocupes, Melchor,
que por Cristo, el Salvador
lo más dorado se deja. (Salen).
(Telón)

TERCER ACTO

(En el escenario aparece el rey Herodes y sus dos ayu-
dantes. El está sentado en su trono. Los magos vienen ca-
minando, si es posible por entre la concurrencia).

Mago 1:

Qué larga es la jornada
que traemos, compañeros.

Mago 2:

Mas todo resulta nada,
pues somos buenos viajeros.

Mago 1:

Allá está la capital
del reino de Palestina;
la Jerusalem ideal,
ciudad que atrae y fascina.

Mago 3:

Tendremos que visitar
a Herodes, el gran rey.
El nos podrá informar
dónde nació Emmanuel.

(Llegan los magos al palacio y saludan al rey).

Los tres:

Salud a ti, buen monarca.

Herodes:

Salud os doy, compañeros.
¿Qué os trae a mi comarca?
Os veo muy placenteros.

Mago 3:

Decidnos, ¿dónde nació
el gran rey de Israel?

Herodes:

(Algo inmutado).
¿Cómo puedo saber yo
en dónde está ese rey?
Venga al momento un escriba.
(Con autoridad).

Escriba:

Héme aquí, su Majestad.

Herodes:

Quiero que ya me diga
el nombre de la ciudad
donde el Mesías nació.

Escriba:

La respuesta no dilata,
voy a ver las profecías.

(Sin tardanza trae un rollo de las Escrituras y entonces lee).

"Y tú, Belén Ephrata,
no eres pequeña en Judá,
porque de ti saldrá
el Caudillo de Israel."

Herodes:

Puedes retirarte, Escriba,
has cumplido tu misión.
y en los libros que me archivas
transcríbeme esa razón.

(Volviéndose a los magos y con aire de contrariedad).

Lo habéis oído, en Belén,
es donde el niño nació;
id presto y que os vaya bien;
después he de verlo yo. (Con desdén).

(Los magos se despiden y se van)

Herodes:

(Más contrariado aún):
Pobre rey, pues ya sabrá,
que quien manda aquí soy yo;
mi espada lo matará.
¿Para qué, entonces, nació?
No es posible que en mi reino

un rival se me presente,
que aparentando ser bueno
se lleve a toda la gente.
Y qué me importa que muera
tanta criatura inocente;
yo soy el rey de esta tierra,
nadie ha de alzarme la frente.

(Se pasea visiblemente enojado. Telón).

CUARTO ACTO

(Se abre el telón. Aparece un lugar como establo. El pesebre en un rincón. Entran suavemente José y María y se acercan al pesebre).

María:

Mira, José, ¡que precioso
está nuestro niño allí!
¡Ah, qué bonito, que gracioso!
Eh, ¿pues que no te gusta a ti?

(Volviendo a ver sorprendida a José, quien parecía no hacerle caso).

José:

Pues ya lo creo, María,
pero escúchame un segundo:
que una terrible agonía
él sufrirá por el mundo.
Miles prodigios hará,
pues es del mundo la luz,
mas por todos morirá
en la cumbre de una cruz.

María:

Siendo, pues, que él va a sufrir,
buscar un nombre debemos
que retrate su existir.

(Entra inmediatamente el ángel).

El Angel:

¿Qué nombre le pondremos?
Llénese el hombre de paz y gozo,

ría de júbilo y de alborozo,
que se han cumplido sus esperanzas.
Deje lo malo, viejas andanzas,
su rumbo incierto, su cruel dolor:
que ya la aurora de un claro día,
nos trae nuevas, ¡oh qué alegría:
es que ha nacido ya el Salvador!

Sigan su marcha todos los astros,
mezan las palmas los leves Austros
y a Dios tributen grato loor:
que el Verbo eterno, fuente de amor,
el que es la gracia del sumo bien,
del cielo al mundo ha descendido,
y es ese niño recién nacido
en el pesebre que está en Belén.

Angeles todos de albo ropaje,
del arpa santa de real cordaje
brindad al niño canciones de oro;
decid al mundo que amargo lloro
para el que crea más nunca habrá.
Las profecías se han cumplido,
pues ya tenemos al Prometido,
quien con su sangre les salvará.
¿Cuál es el nombre que le pondremos?
¿Cómo nosotros le llamaremos
cuando es el Hijo del mismo Dios?
Oíd, entonces, oíd mi voz,
yo soy el ángel que en blanca luz,
vengo a los hombres a proclamarles:
puesto que el Niño vino a salvarles:
Será su nombre: El buen Jesús.
(Se va el ángel y entran los pastores).

Judá:

Oh Melchor, al fin llegamos:
ese es el Niño nacido.

Melchor:

Y de gozo rebosamos,
nuestro deseo es cumplido.

María:

Perdonad, buenos señores,
mas decidme, ¿quiénes sois?

Melchor:

Nosotros somos pastores,
fieles siervos del Señor,
y hemos dejado el rebaño
para venir a adorar
a Jesús, el Salvador.

José:

Pues quedaos con nosotros
y con el Niño Jesús.
Pueda ser que vengan otros
a buscar también su luz.

(Los pastores se quedan y se acomodan cerca del pesebre. Luego entran los magos).

Mago 1:

¡Ya llegamos! ¡Ved la estrella!

Mago 2:

¡Sin duda el padre es aquél!

Mago 3:

¡Sin duda la madre es ella!

Mago 1:

¡Pero el Mesías es él!

Mago 3:

¡Compañeros, qué alegría,
somos los magos de Oriente!

Mago 2:

¡Ha llegado nuestro día,
de adorarle reverentes!

Mago 3:

¿Y qué le vamos a dar?

(Entonces cada uno abre su tesoro y se acerca en su turno al pesebre).

Mago 1:

Pues yo le doy oro. Es rey
que viene al mundo a reinar
con santa y divina ley.

Mago 2:

Pues yo le traigo el incienso
que simboliza expiación,
porque el Niño, según pienso,
trae al hombre redención.

El dejó su trono en gloria
y cruzó la inmensidad;
viene a darnos la victoria
sobre la negra maldad.
El será para el cristiano
su sacerdote divino,
y entre Dios y el ser humano
es el único camino.

Mago 3:

Yo mirra le brindaré
que significa amargura,
pues por la estrella bien sé
que su vida será dura.

Los tres:

(Dirigiéndose al público):
Dios al mundo ha regalado
su más dúlcido tesoro;
y nosotros le hemos dado:
sólo mirra, incienso y oro.

(Se disponen a irse cuando María los detiene).

María:

No os vayáis, magos queridos,
esperáos un momento,
pues todos sois bienvenidos
en mi humilde alojamiento.

(Los magos se quedan y se acomodan alrededor del pesebre, formando todos un semicírculo. Entonces entra súbitamente el ángel y parándose frente al grupo, dice):

El Angel:

Venid todos los mortales
a la aldea de Belén;
todos los que ansiáis el bien
y el remedio de los males;
hoy unid vuestros ideales
en cristiana devoción;
hoy abrid el corazón
para aceptar a Jesús.
El es del mundo la luz
y ofrece al hombre perdón.

Y este Niño tan sonriente,
tan humilde y tan pequeño,
quien creyera que es el Dueño
de la tierra y de la gente.
Es el Dios omnipotente
que en su grandísimo amor,
viene al mundo de dolor,
a irradiarlo de su luz;
viene a morir en la cruz,
viene a ser tu Redentor.

Esta noche es Noche Buena,
es la noche sin igual;
es la noche en que el mortal
debe olvidar toda pena.
De gozo el alma se llena,
el pecho salta de amor,
que no exista más rencor,
todos alegres cantemos
y la gloria tributemos
a Jesús, el Salvador.

(Entonces todos cantan el himno "Adeste Fideles").

Venid, fieles todos, a Belén marchemos
de gozo triunfantes, henchidos de amor;
y al rey de los cielos humilde veremos,
venid adoremos, venid adoremos,
venid adoremos a Cristo, el Señor.

En pobre pesebre yace reclinado,
al hombre ofreciendo eternal salvación;
el santo Mesías, el Verbo humanado:
venid adoremos, venid adoremos,
venid adoremos a Cristo, el Señor.

Cantad jubilosas, célicas criaturas:
resuenan los cielos con vuestra canción:
Al Dios bondadoso gloria en las alturas:
venid adoremos, venid adoremos,
venid adoremos a Cristo, el Señor.

La Historia Maravillosa

Drama de Navidad

Personajes: Ricardo, joven de unos 25 años; la madre de él; un ángel; seis señoritas representando la música, el canto, la poesía, las riquezas, el amor y el evangelio.

ESCENA UNICA

(Ricardo aparece recostado sobre unas piedras y bajo la sombra de árboles, sobre el césped. Está sumamente dormido. Unas frutas, que bien pueden ser manzanas, algunas de ellas mordidas están tiradas sobre el suelo. La madre de Ricardo entra visiblemente emocionada y habla en soliloquio, pero sin verlo al principio):

La madre: ¡Ricardo! ¡Hijo de mi alma! ¿Qué te has hecho? Te he buscado por mucho tiempo, sin poder encontrarte. La angustia quebranta mi cuerpo y sufro y lloro por ti, hijo, hijo de mis entrañas. ¿Dónde estás? ¿Acaso no oyes mi voz?
Más... qué extraño presentimiento invade mi corazón. ¿Se habrá ido a la selva encantada? Dios mío, y si allí está, es seguro que comió de la fruta misteriosa, esa fruta que, según dicen, deja dormidos a los que la comen sin que puedan fácilmente despertar. Iré allá. No importa los peligros. Tendré que salvar a mi hijo.
(Con paso lento y cabizbaja se encamina hacia la selva encantada y al llegar allí descubre a su hijo).
¡Ahí está! ¡Es Ricardo! *(Se acerca y lo toca).* ¡Ricardo, hijo de mi alma! ¿Qué te pasa? ¿Estás dormido? ¡Ah, sí... y muy dormido! ¿Comiste de la fruta misteriosa? *(Dirige su mirada hacia el suelo y ve las frutas mordidas)* ¡Ah, como no; aquí está la prueba! *(Levanta del suelo una de las frutas y observa que está mordida).* ¡Pobrecito! ¡Hijo, hijo, Ricardo de toda mi vida, despierta! *(Lo toca suavemente, pero Ricardo permanece inconmovible):* No es posible. Está privado. *(Se pasea meditando. De pronto, se arrodilla y clama a Dios).*
Dios mío, Padre celestial, ten compasión de esta madre que sufre por su hijo que duerme, que duerme pa-

ra siempre, si acaso tú no vienes a despertarlo. Te suplico envíes tu ángel para que me indique lo que debo hacer en este trance tan agudo.

(Inclina su rostro y al momento se le aparece un ángel y le dice):

Angel: Buena mujer, tu oración ha sido oída delante del Señor y él me envía a que te favorezca. ¿Qué deseas?

Madre: Gracias, ángel del cielo, mensajero de Jehová. Mi hijo duerme, duerme sin que nada logre despertarlo de su sueño.

Angel: No te aflijas. Hoy tendrás una gloriosa revelación de parte del Señor. Ten esperanza de que tu hijo despertará. Escucha y observa.
(El ángel se dirige con parsimonia hacia un extremo y levantando un brazo habla como llamando a alguien).
Fuerzas misteriosas, influencias dominantes que recorréis el mundo, factores que ejercéis presión en los humanos, os invito a que vengáis al momento y os esforcéis por despertar a este joven. ¡Venid!

(Entonces entran seis señoritas representando a las influencias mundanas. Cada una de ellas bien puede llevar una diadema con algún dibujo que en alguna forma simbolice lo que ellas representan. Por ejemplo la Música puede llevar un arpa dibujada. Se colocan a cierta distancia del joven).

El canto: ¿Qué hay más cautivador que el canto? Yo haré vibrar las cuerdas del alma de este joven y al escuchar mi voz, sus ojos se abrirán.

(Entonces canta las siguientes líneas con la música de "Jesús, el Cristo, celestial Rabino".)

> Este es el canto que a cantarte vengo,
> y te amo tanto que gozo tengo.
> Siempre en las fiestas te gustó cantar;
> joven, despierta, que te haré gozar.

Yo doy a todos dicha y encanto
de varios modos enjugo el llanto.
Tú estás muy joven, ven goza el mundo,
pues yo te ofrezco placeres muchos.

*(Le pasa la mano sobre la frente a Ricardo, pero
éste no despierta. Entonces se vuelve a su lugar).*

La música: La música cautiva y hechiza. Los que me es-
cuchan se rinden a mis plantas y mi poder es grande
sobre los seres humanos. Escucha, joven mis notas llenas de armonía y despierta.

*(La señorita que representa la música, si puede to-
car, violín, llevará ese instrumento y ejecutará una
pieza corta y sentimental; si no, entonces, puede ella
u otra tocar una pieza al piano. Luego va y toca a Ricardo en la frente, pero sin lograr despertarlo).*

La poesía: Yo, que soy la poesía, podré hacer lo que vosotras, compañeras, no habéis podido hacer. La ca-
dencia de mis versos electriza a cuantos me siguen,
y el joven que duerme, se empapó en mis palabras.
Cuando él se encontraba bajo la inspiradora influencia del licor, yo le fui oportuna compañera para di-
vertir a sus amigos. El despertará tan pronto como el
eco de mis rimas resuene en sus oídos.

Yo, la poesía, deleito las almas,
divierto a los hombres en todo salón;
provoco las risas; por mí baten palmas
al verme los hombres en su inspiración.

Por eso, joven, muy pronto despierta,
mis versos recuerda te hicieron gozar;
yo siempre mantuve tu mente alerta
escucha mi voz y ponte a bailar.

*(Hace lo mismo que las otras señoritas, pero sin nin-
gún resultado).*

Riquezas: Yo soy las riquezas. No todos los seres humanos
buscan lo que vosotros ofrecéis, pero, ¿quién no se do-
blega ante el poder de las riquezas? ¿Quién no ambi-

ciona por sobre todo, obtener dinero y más dinero? Yo hago felices a los hombres. Ya os convenceréis cómo este joven despertará tan pronto como oiga el tintineo de las monedas al caer. Joven, despierta; se poseedor de las riquezas que te ofrezco. No pienses más que en el dinero. Toma. *(Deja caer varias monedas, junto al joven).*

El amor: (Se acerca a Ricardo para hablarle): La vida es emoción y el amor es lo más hermoso y placentero de la vida. Yo sé aprisionar a los hombres en las sutiles redes que les tiendo. Todos me prefieren porque a todos les ofrezco amor y placer. Le brindaré el vino de mis caricias y ya veréis cómo despierta.

Ricardo, vengo a tus plantas a darte mi amor,
tú mis caricias desde hoy las tendrás;
y de mis besos, su ardiente sabor,
siempre en tus labios de mí gozarás.

(Ricardo permanece profundamente dormido. La madre se dirige a las señoritas con algo de enojo).

Madre: Nada habéis hecho. Vuestro engaño y vuestro fracaso son manifiestos. Mi hijo no despierta. Todos vuestros esfuerzos son vanos.

(Repentinamente entra el Evangelio).

El Evangelio: Madre sufrida, no pierdas las esperanzas. Yo soy el Evangelio.

Las otras: (Retirándose en son de burla): El Evangelio ... *(Salen).*

El Evangelio: (Dirigiéndose a ellas y con aplomo): Sí, el Evangelio. *(Luego se dirige a la madre y al público):* Soy el mensaje que anuncia paz a los hombres. Hablaré a tu hijo con verdadero amor y ternura: Joven, tu sueño es el sueño del pecado. El mundo te ha vilmente engañado. Pero aún puedes salvarte si te arrepientes y si abres tus ojos a la verdad. Hace muchos años, en un humilde pueblecito allá en Belén, nació un precioso niño llamado Jesús. Los ángeles cantaron en esa noche de la primera Navidad. Los pastores dejaron sus rebaños y corrieron presurosos para adorar a Jesús. Y hasta unos hombres sabios del Oriente, llegaron a rendirle a Jesús el tributo de su adoración: oro, incienso y mirra. Jesús vino al mundo para salvar a los pecadores. El te ama, y tanto, que dio su vida en el Calvario por ti. Esta noche es noche de Navidad. Hay alegría en todos los cristianos. Tú también, querido joven, puedes ser feliz si aceptas a Jesús como tu Salvador. El nació en Belén, pero quiere también nacer en tu corazón. Abre tus ojos y contemplarás por la fe a tu bendito Salvador.

(Le pasa su mano sobre la frente y los ojos. Ricardo abre paulatinamente los ojos y manifiesta asombro. El Evangelio se retira algo).

La madre: (Casi fuera de sí): ¡¡Hijo!!

Ricardo: ¡Madre! Estoy naciendo a la vida. Esta selva encantada no es otra cosa que el mundo con sus falaces encantos y esas frutas que ves allí yo las comí, en medio de mi insensatez. Representan los muchos placeres que el mundo ofrece a la juventud. Yo me entregué a los deleites y di rienda suelta a mis pasiones. Canto, música, poesía, riqueza, amor, placeres, encantos, en lugar de despertarme, más bien me adormecieron con sus efímeros encantos. Pero un día escuché la historia más sublime, la historia del amor de Dios en Cristo Jesús, y cansado de pecar, acudí al Señor. He despertado, gracias al Evangelio. No quiero seguir en la vida de perdición. Mi corazón es la ofrenda que le traigo a Jesús en esta noche de Navidad. "Porque ¿de qué aprovechará al hombre si granjeare todo el mundo y después de todo perdiere su alma? ¿O qué recompensa dará el hombre por su alma?" Y ahora, Evangelio, quiero seguir tus ordenanzas durante el resto de mi vida para ser fiel a mi Salvador. Así viviré en una eterna Navidad.

La madre: Yo también, hijo querido, quiero seguir el camino del evangelio, ya que por él tu vida ha cambiado totalmente.

Evangelio: Entonces, seguidme al instante y os llevaré hasta la gloria.

(Comienza a caminar, pero muy despacio, con dirección a la puerta de salida).

La madre: *(Comenzando a seguir al Evangelio y dirigiéndole la palabra al Angel)*: Gracias, celestial mensajero, por el gran bien que me hiciste.

(Tanto la madre como Ricardo siguen en pos del Evangelio y entonces el Angel comenzando también a caminar, les dice):

Angel: Seguid, que tanto a vosotros como a todos los que quieran buscar el camino del bien y de la salvación, yo les iluminaré el sendero con los resplandores de Cristo, el Salvador.
(Salen. Telón).

Trayendo Nuestros Talentos al Rey

Dramatización propia para los niños y niñas del Departamento de los Primarios de la Escuela Bíblica Dominical.

(Aparecen José y María al fondo del escenario, junto al pesebre iluminado. Entran los niños en fila en el orden que más convenga y se colocan alrededor del pesebre formando un arco. Cada uno lleva algo que representa el oficio o profesión que tienen. Entonces cantan: Con la música de: "Cuando leo en la Biblia"):

Todos:
Hoy alegres venimos a adorar a Jesús
quien nació por nosotros en Belén;
él nos trae paz y amor
y es de todos el Señor
sólo en él obtenemos sumo bien.

Nuestra ofrenda traemos con leal devoción
a Jesús, quien merece lo mejor,
pues debemos de saber
que la fuente del poder;
es Jesús, el bendito Salvador.

Costurera:

Yo soy una costurera,
la máquina es mi placer;
y siempre a Jesús quisiera
su indumentaria coser.
Humilde traigo a sus pies
la aguja, el hilo, el dedal,
y servir a Cristo es
en mi vida alto ideal.

Oficios domésticos:

El trabajo de mi casa
hacerlo me toca a mí,
y el tiempo se me pasa
trabajando muy feliz.
Es muy pobre lo que traigo
para obsequiar a Jesús,
pero él sabe que lo que hago
es bañado de su luz.

Planchadora:

Planchar es mi deber
y esto me ayuda a vivir;
mas ahora con placer
vengo a Jesús a servir.

Agricultor:

En el campo paso ufano
sembrando arroz y maíz;
y una parte de mis granos
traigo al Niño muy feliz.

Estudiante:

Yo soy un buen estudiante
y a Jesús quiero ofrecer
que siempre iré adelante
con su ayuda y su poder.

Chofer:

Mi trabajo es manejar
en la ciudad un camión;
mas ahora vengo a dar
a Jesús mi corazón.

Pintor:

La brocha traigo conmigo
porque soy un buen pintor
y Jesús es mi Amigo;
por él yo pinto mejor.

Panadero:

Mi oficio es ser panadero
y también cristiano soy;
de mis panes lo primero
siempre a Jesús yo le doy.

Lavandera:

Lavar ropa es mi deber
con este pan de jabón;
soy una pobre mujer
mas Jesús es mi pasión.

Cortadora:

Y yo soy la cortadora
del oloroso café;
y a Jesús le traigo ahora
esta prueba de mi fe.

Maestra:

Maestra soy de verdad
y me gozo en enseñar.
Y en esta Navidad
vengo a Jesús a adorar.

Comerciante:

He aquí al comerciante:
compro y vendo lo mejor;
y siempre salgo triunfante
pues me ayuda mi Señor.

Cocinera:

Como soy la cocinera
mi trabajo es cocinar;
mas soy también la primera
en mi vida a Cristo dar.

Madre:

Yo soy madre de un hogar,

y a mis hijos mucho quiero;
Cristo me puede ayudar
es él a quien yo prefiero

Enfermera:

Yo trabajo de enfermera
y es mi gozo servir;
el mal está por doquiera
y miro al hombre sufrir.
Yo me inspiro en Jesús
para el dolor mitigar;
pido que él me dé su luz,
mi vida vengo a ofrendar.

Ama de casa:

Ama de casa yo soy
y mi deber es cuidar;
me consagro desde hoy
al que nos vino a salvar.

Mesera:

Yo trabajo en un hotel
donde sirvo con primor;
pero ahora soy de Aquél
quien vino a darnos su amor.

Vendedora:

Vendo frutas y verduras
en la plaza y por doquier
y aunque sin gran hermosura
mi ofrenda vengo a poner.

Secretaria:

Yo soy una oficinista,
mas ahora quiero ser:
una discípula lista,
una cristiana mujer.

Pianista:

Tocar piano es mi afición,
y en el arte trabajar;
siento una grande emoción
y quiere mi corazón
sólo a Jesús ensalzar.

Doctor:

Tengo la dicha de ser
en este pueblo un doctor;
y el bien procuro hacer
inspirado en mi Señor.

Cantatriz:

Yo soy una cantatriz
y me gozo en expresar;
que me siento muy feliz
de mi Señor agradar.

Hija:

Yo soy una hija pequeña
de mi querida mamá;
y todos los días me enseña
que Jesús perdón nos da.

Bordadora:

Yo soy una bordadora
de las que hacen todo bien;
y mi corazón adora
al que nació en Belén.

Carpintero:

Mi oficio es ser carpintero
y trabajo con ardor;
Jesús también fue un obrero,
mas es de todos Señor.

Luego habla María:

Permitidme que os exprese
mi sincera gratitud,
pues con vosotros hoy crece
mi regocijo y salud.
Sé que a adorar a Jesús
habéis todos concurrido,
él es del mundo la luz
y a salvaros ha venido.

Yo soy María
y mi esposo es José;
y muy llenos de alegría
ponemos en Cristo la fe.
(Telón).

La Conversión de una Mujer Hindú

Drama en un solo cuadro. Sería bueno que el que preside el programa o el pastor, diera una explicación de la historia que a continuación se dramatiza. Los trajes deben ser apropiados y el arreglo del escenario queda al gusto y talento del Director.

Mujer hindú:
(Aparece sola o entrando)

¡Ay! Qué triste situación.
Sentirme sola en el mundo;
sin ninguna protección,
sin descansar ni un segundo.
Estar lejos de mi patria
sin ver a mis familiares;
mientras la gente me trata mal,
aumentando mis pesares.
Muy larga fue la jornada
y muchos días gasté
y ni pude traer nada
y hasta mis dioses dejé.
Cuánto he sufrido en la vida:
miseria, hambre, dolor;
sentirme siempre oprimida,
y careciendo de amor.
Mas quizás en esta tierra
halle otra situación,
y no me hagan la guerra
como lo hacen en mi nación.

Mujer judía:
(Entrando y viéndola de pronto):

¿Qué te sucede, mujer,

que en llanto te miro envuelta?
Algo debes de tener
que no pareces resuelta.
Quizás yo pueda ayudarte,
y lo haría con placer;
dispuesta estoy a escucharte,
quiero tu pena saber.
¿Qué no oyes mis palabras?
¿No me quieres contestar?
Yo te pido que me abras
tu confianza sin dudar.

Mujer hindú:

Si quieres saber mi historia,
ten la bondad de sentarte,
que si es buena mi memoria
todo he de relatarte.
Vengo de tierras lejanas
que hace años dejé
y hasta cubierta de canas
la cabeza se me ve.
Pues no son pocas las penas
que he sufrido en el viaje
y se cuentan por docenas
las roturas de mi traje.

El sol tan ardoroso
y las lluvias torrenciales,
el camino fatigoso
y los grandes polvazales.
La amenaza de las fieras
y el peligro de los ríos
lo escarpado de las sierras
con sus penetrantes fríos;
los enfurecidos vientos
que a los árboles doblegan
y los lúgubres lamentos
que espantada el alma dejan.
He viajado tanto, tanto,
por llegar a este lugar,
pues quizás aquí mi llanto
pueda tranquila enjugar.

Mujer judía:

Miro muy grande tu angustia
y ayudarte es mi deber;
tu vida parece mustia,
¿Qué es tu desgracia, mujer?

Mujer hindú:

Desde muy lejos yo vengo
y la India es mi país;
allí sólo amarguras tengo
y mi vida es infeliz.
Una desdicha muy grande
es ser mujer en la India,
pues las costumbres sociales
son muy duras e indignas.
Cuando aun era pequeña
me casaron sin saber,
desde entonces no soy dueña
ni siquiera de mi ser;
y crecí en otra casa,
sin amparo y sin sostén,
en la ignorancia más crasa,
sufriendo burla y desdén.
Trabajaba sin descanso,
no me daban de comer,
y con espíritu manso
tenía que obedecer.
Mas lo peor de mi vida
que más triste me dejó
fue cuando llegó el día
en que mi esposo murió.
Porque todos me exigían
que debía de morir,
quemada sobre una pira
y así dejar de existir.

Pero esa noche terrible
cuando me iban a quemar,
me volví fiera temible
y oculta pude marchar.
Desde entonces vengo huyendo
de tan negra situación

y casi me estoy muriendo
de cansancio y aflicción.
¿Puedes darme algún consuelo
que me brinde orientación?
¿Podrá apiadarse el cielo
de mi pobre condición?

Mujer judía:

Muy consternada me encuentro
de escuchar tu narración,
y gustosa te prometo
darte toda protección.
Has de saber que ha nacido
en la ciudad de Belén,
Jesús, el Rey prometido,
el que nos trajo el bien
El nos dará la doctrina
del amor y la igualdad,
su Palabra será divina,
llena de gracia y verdad.
Hombres, niños y mujeres,
todos valemos ante él;
y si tú en él creyeres
libre y feliz has de ser.

Mujer hindú:

¿Y dónde está ese Niño?
pues quisiera irlo a ver;
para ofrendarle el cariño
que es mi único haber.

Mujer judía:

Pues yo quisiera también
ir muy pronto a conocerlo;
si tú quieres a Belén
nos marchamos para verlo.
Mas, déjame preguntar
a esas mujeres que vienen,
si podremos encontrar
al que es el Rey de los reyes.

Decidme, buenas señoras,
y hacednos este gran bien:
¿Se encuentra el Niño a estas horas,
en la aldea de Belén?

Débora:

De allá nosotras venimos,
de contemplar a Jesús,
y gozosas nos sentimos
porque es del mundo la luz.
Unos pastores llegaron
con sus humildes corderos,
y contentos regresaron
de haber sido los primeros.

Lea:

También los magos de Oriente
los miré que se acercaron
y muy valiosos presentes
a Jesús le regalaron.
Vayan ustedes también
con piedad y devoción,
que en la aldea de Belén
paz recibe el corazón.
Seguid por este camino
y seguras llegaréis;
habrá un nuevo destino
para el hombre y la mujer.

Débora:

En este país hermoso
muy contenta vivirás,
pues Jesús ofrece gozo,
consideración y paz.

Lea:

Desde ahora todo el mundo
su situación cambiará;
su inefable amor profundo
en los pueblos influirá.

Que os vaya bien, compañeras,
la esperanza no perdáis;
sed cristianas verdaderas
por doquiera que vayáis.

Mujer hindú:

A vosotras gracias doy
por todo lo que decís,
pues sin duda desde hoy,
mi vida será feliz.
(Salen Lea y Débora)

Vamos, amiga querida
mi situación cambiará;
me siento muy bendecida
por la mano de Jehová.
La nefanda idolatría
que practica mi nación
la abandono en este día
de todo corazón.
Desde ahora soy cristiana
y abrazo la verdad.
Nunca más seré pagana,
gracias a la Navidad.
(Telón)

El Nacimiento del Rey Humilde

Drama en cuatro actos. Personajes: Bernabé: El padre de la familia; Jochebed: su esposa; Ruth y Ana: sus dos hijas; Daniel: el Escriba, muy amigo de la casa; Baltazar: un limosnero; Drusila y Sara: dos señoritas judías; María y José; el ángel. Todos salen vestidos a la usanza oriental y el arreglo para cada acto debe ser lo más adecuado.

Primer acto:

(Bernabé y Jochebed aparecen solos en la sala).

Jochebed: ¿Y qué te acontece Bernabé? Hace días que vengo notando un cambio en tu carácter: tú siempre has sido muy placentero, mas ahora te miro triste y pensativo. ¿Hay algo que te preocupa?

Bernabé: Tienes razón, Jochebed. No me siento muy feliz ¡Y cómo he de estarlo!, cuando estos usurpadores romanos viven humillando a nuestra nación. ¿No crees que me hierve la sangre ante los infames atropellos que de los soldados romanos sufren mis compatriotas? Si yo tuviera armas, les haría saber que los judíos no somos cobardes.

Jochebed: Ahora comprendo. Pero creo que es inútil toda insurrección. ¿No recuerdas el intento que hizo Teudas con aquellos trescientos judíos valientes? Pero sin mucha dificultad los dominaron. Estos romanos se levantan del suelo como langostas y han sembrado el terror por todas partes.

Bernabé: ¿Querrás decir que siempre viviremos como esclavos de estos ambiciosos y brutales extranjeros? De ser así, mejor que me trague la tierra. Yo nací para ser libre.

Jochebed: No es eso, propiamente. Pero hay algo que sin duda tú desconoces. La Sagrada Escritura nos enseña que Dios ha castigado a su pueblo por sus muchas desobediencias. Puede ser que la dominación romana sea un juicio de Dios sobre nuestro pueblo. Sin embargo, yo he oído a los Rabíes explicar varias veces en la Sinagoga que Jehová nos enviará a un Libertador.

Bernabé: Es cierto. Me parece que yo también, cuando acostumbraba asistir a las grandes solemnidades del templo, oí algo parecido. Pero debo confesarte, Jochebed que casi he perdido la fe en tales asuntos. No obstante, si tal Libertador apareciere, yo sería uno de sus más fieles soldados, pues quiero la libertad política de mi país.

Jochebed: Pues yo no he podido asistir con regularidad a los servicios, porque no he dejado de sufrir de este reumatismo angustioso. Mis hijas, sin embargo, se fueron hoy muy temprano al templo, pues ellas nunca faltan, y con mayor razón ahora que le tocaba a nuestro pariente Zacarías oficiar. Pero por cierto que ya tardan. Algún atraso deben tener. *(En eso entra Daniel):*

Daniel: La paz de Jehová os guarde. Buenos días.

Jochebed: Adelante, Daniel. Siéntate y reposa un poco. Tu visita nos agrada. Llegas muy oportunamente, pues tú, como Escriba que eres de la Ley, podrás explicarle a Bernabé lo que dicen las profecías acerca del Mesías que ha de venir.

Daniel: Con singular placer, Jochebed.

Bernabé: Me interesa que nos expliques, pues cuanto antes debemos sacudir el yugo de la esclavitud que nos oprime.

Daniel: Las Escrituras nos hablan de que Dios levantará a uno de la simiente de la mujer, de una Virgen, el cual será muy valiente y poderoso y nos dará la libertad que todos anhelamos y acaudillará a nuestra nación a la conquista del mundo, y los tiempos gloriosos de David y Salomón resurgirán con mayor pompa y esplendor. Entonces, en lugar de ser siervos, seremos amos y señores.

Bernabé: Eso que dices, me agrada mucho, Daniel. Pero ... ¿llegará a cumplirse?

Daniel: No hay duda de eso, pues es Dios mismo quien lo promete y quién sabe si estemos ya muy cerca de nuestra liberación.

Jochebed: Yo participo de igual sentir, Daniel. Presiento que algo importante está por suceder. Y mira, que mis hijas ya tardan en venir. Debe haber algo espectacular en el templo. Pero, qué casualidad, parece que ya vienen. *(Entran Ruth y Ana).*

Ruth: Salud de Jehová a todos. *(Se sientan).*

Jochebed: ¿Y por qué os tardasteis, hijas mías?

Ruth: ¡Ay, mamá! ¡No se imaginan todo lo sucedido!

Ana: Venimos sobrecogidas y a la vez llenas de gozo. Toda la ciudad está alborotada. El templo estaba lleno. Todos sentimos la presencia del Señor con nosotros. Oramos con intenso fervor.

Ruth: Y el sacerdote Zacarías tardó mucho en salir. La impresión que tuvimos fue la de que había visto visión. Y efectivamente. Cuando salió no podía hablar. Nosotros fuimos de curiosas hasta su casa, y allí estaba su esposa Elisabet. Pero él se hacía entender escribiendo y dijo que el ángel del Señor se le había aparecido. Y que le anunció que su esposa tendría un hijo que se llamaría Juan, el cual sería el Precursor del Mesías.

Jochebed: ¡Qué precioso todo eso! ¿No les dije que algo estaba por suceder?

Daniel: Creo que no puedo quedarme por más tiempo. Voy al momento a visitar a Zacarías para darme cuenta de todo.

Bernabé: Yo te acompaño, Daniel. Ya pronto aplastaremos a estos orgullosos romanos.

Daniel: Vamos ¡Hoy es día de gratas nuevas! *(Salen)*

Jochebed: Hijas mías, oremos porque se cumplan las profecías del Señor.

Segundo acto:

(Procúrese simular un camino o una calle. Aparece un anciano limosnero, con un bordón, sentado y algo triste):

Baltazar: ¡Cuánta pobreza me rodea! Muy triste es mi vida. Los directores de mi religión no se preocupan por mí. Pero yo sé que Dios enviará a su Hijo, quien vendrá a libertar a los quebrantados de corazón y a predicar el evangelio a los pobres. Qué feliz me sentiré cuando nazca el Salvador. Alienta mi esperanza, oh Dios de Israel.

(Entran dos jóvenes cantando).

Drusila y Sara: "Oh Santísimo, felicísimo ..."

Baltazar: ¡Qué lindo! Una limosna por amor de Dios. *(Le dan).* Gracias. ¿Y por qué váis tan alegres?

Sara: ¡Cómo! ¿No te has dado cuenta? Vamos hasta Belén porque ya nació Jesús, el Rey. El nos libertará de la dominación romana y ahora todos los judíos tienen que conseguir su arma. ¿No quieres ir con nosotras?

Baltazar: Pero si yo no tengo arma con qué pelear, hijas mías.

Drusila: Con ese palo puedes hacer mucho. Vamos, no te detengas. La hora de nuestra liberación ha llegado.

Baltazar: (Haciendo esfuerzos por levantarse, pero teniendo dificultad. Se vuelve a sentar). No os atraséis vosotras. Yo emprenderé el viaje, pero llegaré tarde porque mi andar es despacio. ¡Qué dichoso seré viendo a ese Rey poderoso! El Señor os acompañe, hijas mías, y sed siempre caritativas con los menesterosos. *(Se van ellas).* Sí, el Mesías nos libertará. Ya mi situación será distinta. *(Se levanta y emprende el viaje alegre. Sale).* ¡Qué dicha! Lo que por muchos años estuve esperando.

Tercer Acto

(Aparecen Jochebed y sus dos hijas sentadas en la sala de su casa. Están distraídas. De pronto entra Daniel.)

Daniel: ¡Y cómo! ¿Por qué os estáis quedas? ¿No sabéis lo que acontece?

Jochebed: ¿Qué es, Daniel? Como hace algunos meses que no nos vemos. Explícanos.

Daniel: ¿Recuerdan la última vez que les visité?

Ellas: Sí, sí.

Daniel: Pues desde entonces yo no he cesado de estudiar

las Santas Escrituras y he seguido el hilo de los acontecimientos. Elisabet, según lo anunció el ángel, tuvo su niño, el cual es un prodigio.

Ana: Eso sí ya lo sabemos. Nosotras nos dimos cuenta. ¿Hay algo más?

Daniel: Desde luego. Lo más importante ahora es que María, esposa de José, el carpintero, dio a luz a su Hijo, y le pusieron el nombre de Jesús; dicen que él es el Mesías y se cuentan grandes maravillas acerca de él. Nació en Belén y hay alegría y bulla en el pueblo.

Ruth: ¡Qué hermoso todo eso! Pero, ¿cómo es posible que él haya nacido en una aldea? Allí no hay palacio. Además, María y José son muy pobres. ¿Pueden ser ellos sus padres?

Daniel: Es lo que no me explico. Quién sabe si no hemos comprendido muy bien las profecías. De todos modos, vamos a darnos cuenta. Yo les invito a ir. Allí afuera están los camellos con los guías que han de llevarnos.

Jochebed: Gracias, Daniel, pero no está Bernabé y, sin duda, él querría ir con nosotros.

Daniel: No podemos demorarnos, pues debemos llegar temprano. Déjale una nota escrita. El podrá darnos alcance en su brioso corcel.

Jochebed: Me parece buena tu sugestión; voy a escribirla, *(La escribe). (Se van. Entra después Bernabé).*

Bernabé: ¿Y qué se hizo la gente? ... Aquí está una nota. Debe ser para mí. *(La lee).* Lo que por tantos años he esperado. Ahora sí que cambiará nuestra situación. Ya me vengaré de estos desalmados romanos. *(Sale).*

Cuarto acto:

(Aparece el establo y el pesebre, lo más atractivo que se pueda. José y María están junto al pesebre. Van entrando en orden sucesivo y colocándose alrededor del pesebre).

Drusila y Sara: (Entran cantando): "Oh Santísimo, Felicísimo..."

(Después entran Daniel, Jochebed, Ruth y Ana).
Daniel: Hemos llegado a la meta de nuestra jornada. Ese niño debe ser el mesías.

Ana: Yo creí que él estaría en una cuna de oro. ¿No lo dicen así las profecías?

Daniel: Así lo hemos creído, pero Dios nos lo debe explicar todo ahora.

Bernabé: Creo que no llego tarde, ¿verdad? ¿Dónde está el Rey de los judíos? Aquí traigo mi espada para pelear en contra de los romanos.

Baltazar: Y yo también aquí estoy. Quiero conocer a mi Rey.

María: Cuánto me place el veros en mi modesta morada. Comprendo que habéis hecho sacrificios por venir hasta Belén para conocer a mi tierno hijo. Sé que estáis sorprendidos al encontrar a Jesús en un pesebre. El es el Rey de la gloria, pero escogió la puerta de la humildad para entrar en este mundo. Todas estas cosas las guardo en mi corazón. Sin duda, Dios enviará un ángel para que os explique el gran misterio de su amor, así como hace un año me visitó a mí el ángel Gabriel para darme la grata nueva de que yo sería la madre del Salvador.

El ángel: Queridos visitantes. Sé que habéis venido a conocer a Jesús, el Mesías. Dios me envía a vosotros para daros una explicación. En Jesús se cumplen las profecías. Vosotros esperábais a un rey poderoso y con ejércitos y pompa, pero el plan de Dios no era ese. El quiere enseñaros la humildad. El Mesías nació en pobreza. Y él vino para daros la verdadera libertad, que es la espiritual; a salvaros de la esclavitud del pecado, de la servidumbre del diablo. El no peleará con armas de guerra, sino que ganará el corazón de los hombres por medio del amor y del servicio. "Si el Hijo os libertare, seréis verdaderamente libres." No os fijéis en las grandezas superficiales, sino en la humildad y en la sinceridad. Aceptad a Cristo en vuestros corazones y él será rey y Señor de vuestras vidas.

Bernabé: (Cayendo de rodillas y muy consternado): ¡Oh Señor, ahora entiendo! ¡Caigo rendido a tus pies! ¡Seré tu servidor! Ya no pelearé con armas materiales, pues me has revelado que tu reino será fundado sobre las conciencias de los que te amen y te sirvan. ¡Oh Rey, líbranos de la esclavitud del pecado!

(Telón).

MATERIAL PARA EL DIA DE LAS MADRES

A mi Madre

(Las siguientes estrofas las dediqué a la memoria de mi madre, doña Lola Robleto, ya en el seno del Señor. Pueden, sin embargo, ser recitadas por un joven o una señorita que también ya no tenga a su madre aquí en la tierra. Si alguna de las estrofas no manifiesta ninguna relación con el caso de la persona que recitará, bien puede suprimirse. El autor).

Veinte años hace que dejaste el mundo,
oh madre mía, para irte al cielo.
Muy grande fuera mi dolor, profundo...
si no encontrara en Jesús consuelo.

Sufriste mucho y trabajaste más,
fuiste abnegada, cariñosa y fiel.
Oh tierna madre, tu arrugada faz
me fue más dulce que la dulce miel.

Tus manos guiaron mis primeros pasos,
con ellas siempre nos hiciste bien;
y con sonrisas, lágrimas y abrazos
fuiste a tus hijos único sostén.

Jamás tus obras olvidar podremos,
hechas mil veces aun con sacrificio:
y es por eso que tanto te queremos
al recordar tu amor y tu servicio.

Cuando ya apenas comenzaba a darte
de mi corona su modesta luz:
vinieron ángeles a visitarte
y te llevaron al Señor Jesús.

Triste quedamos tus hijos todos
desde ese día tan fatal, siniestro;
y en esta vida de cambiantes modos
sólo confiamos en el Padre nuestro.

Ayer nomás me parece fue
cuando tu rostro ya languidecía:
que con delirio tu frente besé
y te dije: "Te quiero, madre mía."

Mas de tus labios no escuché ya nada,
mustios quedaron cual dormida flor;
pero en tu faz contemplé grabada
una sonrisa que me dio valor.

Oh tierna madre, madre tan querida,
en este día recordarte quiero:
tú ayer me diste protección y vida,
hoy yo te doy mi corazón entero.

El Nombre de Madre

Nombre dulce, de armonías lleno
que irradia al mundo sus resplandores,
que impulsa al hombre a ser más bueno
y a producir perfumadas flores.

Nombre sublime, por siempre santo,
que lleva en sí celestial ternura;
alivia el mal y enjuga el llanto
en el camino de la amargura.

Nombre que nunca olvidar podremos,
porque muy hondo en el pecho está.
Y mientras todo quizás perdemos,
el nombre madre nos quedará.

Nombre que encierra santas virtudes
las más hermosas que aquí se ven.
De los ingratos mejor que dudes
más en tu madre confianza ten.

Hay muchos nombres en todo idioma
que dulces, bellos y gratos son,
mas sólo el nombre de madre forma
las ilusiones del corazón.

A mi Madre

Permite, madre mía
que en este santo día
te exprese mi sentir:

por ti mi lira canta,
se inspira y se agiganta
y vuelve a revivir.

Tú, madre, me formaste
y mucho me adoraste
desde antes de nacer;

y apenas vine al mundo,
con gran amor profundo
seguiste mi crecer.

Mil veces desvelada,
quizás muy trabajada
cuidabas mi dormir;

a veces despertaba
y entonces es que lloraba
al verte sonreír.

Por más que estuve lejos
llegaron tus consejos
a darme inspiración,

y cual si fuera niño
los guardo con cariño
aquí en mi corazón.

Oh madre de mi amor,
con todo lo mejor
pagarte no podría;

mas quiero hoy prometerte:
que iría hasta la muerte
por darte la alegría.

A Ti, Madre

Madre, con emoción,
ofrendarte quiero,
el amor sincero
de mi corazón.

Porque eres muy buena,
cariñosa y fiel,
como una azucena
del mejor vergel.

Hoy quiero decirte
que tú eres la estrella
del cielo más bella
que al mundo viniste.

Quisiera poder
hoy darte las flores
de lindos colores
de un grato oler.

Mas como no tengo
en mis manos flores;
a ti solo vengo
con mis amores.

Estrofitas a las Madres

Yo quiero mucho a mi madre,
con ardiente frenesí.
Y como no tengo padre;
ella es todo para mí.

En el collar de la vida
mi madre es joya sin par;
es la prenda más querida.
¿Cómo la puedo olvidar?

Mi madre es buena conmigo,
me sirve llena de amor;

por eso ahora le digo:
que la proteja el Señor.

Yo creo que en todo el mundo
otra mujer nunca habrá;
que me tenga amor profundo
como mi dulce mamá.

En la tierra y en el cielo
"MADRE" es nombre sin igual.
Ella me imparte consuelo
y a mi vida es un fanal.

Hoy Es Día de las Madres

Canto para los niños: Con la música del himno
"En el Templo" (Himnos Favoritos).

Hoy es día de las madres,
¡oh qué grande bendición;
damos gracias al Dios Padre
que nos dio tan grato don!

Coro:

Bienvenidas, sean todas,
nuestras madres hoy aquí;
y reciban el cariño
de nosotros todos, sí.

Son las madres muy queridas
porque sirven con amor;
y en la tierra representan
a Jesús, el Buen Pastor.

Aunque seamos hijos malos,
ellas madres buenas son;
nos reprenden, nos exhortan
siempre tienen la razón.

Hoy queremos prometerles,
hijos buenos siempre ser;
pues deseamos el mandato,
del Señor, obedecer.

Tengo una Madre que Es un Primor

(Canto propio para un número especial, con la música del himno No. 159 de "Melodías Evangélicas").

Tengo una madre que es todo primor,
ella me da sus caricias y amor;
hace que sea mi vida un Edén:
ella me trata siempre muy bien.

Coro:

Oh madre mía, pienso yo en ti,
vives contenta cerca de mí;
quién como tú, risueña y fiel;
me eres más dulce que dulce miel.

Yo considero un regalo de Dios
la tierna madre que escucha su voz;
por eso quiero sus huellas seguir,
y sus consejos siempre cumplir.

En el jardín de mi grato hogar,
mi madre es flor de aroma sin par.
Por eso yo con gran emoción:
le ofrezco humilde mi corazón.

Cuadro de Amor

(Aparece una madre joven sentada en una mecedora con sus dos niños sentados sobre las piernas de ella. Al acariciarla le dicen):

Niña: *(Como de seis años):*

Te quiero mucho, mamita,
más de lo que piensas tú.
Siempre seré buena hijita
con la ayuda de Jesús.

Niño: *(Como de cinco años):*

> Y yo también, mamacita,
> siento igual cosa por ti.
> ¡Qué linda que es tu carita,
> mucho me encanta a mí!

La madre: *(Muy complacida y acariciándolos):*

> Ustedes me hacen feliz
> pues niños muy buenos son;
> vivan siempre junto a mí,
> muy cerca del corazón.
>
> Que nunca busquen el mal
> antes practiquen el bien;
> y que tengan el ideal
> de serme amparo y sostén.
>
> Duérmanse, pues, mis hijitos,
> que su madre velará;
> y cuando estén grandecitos
> el Señor los cuidará.

(Se duermen. Telón).

La Voz de las Madres Antiguas

Dramita

(Aparece en el escenario algo así como un aposento. Junto a una cuna está la madre sentada en una mecedora y cuando se abre el telón, mirando hacia la cuna donde está su niño, canta "Duerme, niño, duerme," con la música de "Duerme junto al templo un tierno niño").

La madre:

> Duerme allí en tu cuna quietecito
> que tu madre por ti velará.
> ¡Oh cuánto te quiero, mi hijito,
> tú me das felicidad!

Coro:

¡Oh Señor, oh Señor,
necesito yo tu dirección:
para criar con valor
y con santa devoción,
a este niño que hoy
muy gozosa a ti lo doy;
dame, pues, mucha luz,
te lo pido por Jesús!

(Entonces habla como dirigiendo la mirada hacia afuera):

La madre: Madres, madres de la Biblia; oh santas mujeres del tiempo antiguo, levantaos de vuestras tumbas y venid con vuestros sabios consejos a fortalecerme. Yo soy madre también y quiero, como vosotras, ser fiel en el desempeño de mi gloriosa misión.

(Entonces entran las madres, vestidas de túnicas blancas).

Bienvenidas sois, consagradas madres, en mi modesto hogar, y la luz de vuestras palabras iluminará el sendero de mis responsabilidades.

Jochebed: Yo soy Jochebed, la madre de Moisés. Cuando todos los niños varones que nacían en Egipto eran irremisiblemente decapitados por orden del Faraón, yo me revestí de valor y tuve fe en Dios y él premió mi intrepidez concediéndole la vida a mi hijito, quien bajo la dirección divina llegó a ser Moisés, el poderoso Caudillo de Israel. Fe y valor son dos cualidades que toda madre debe tener.

Ana: Mi nombre es Ana y soy la madre de Samuel. Mi afrenta se convirtió en gloria cuando Jehová oyó y contestó mi férvida plegaria. Me dio un hijo que me hizo muy feliz. Desde pequeño, inculqué en mi hijito la vida piadosa y le enseñé la obediencia y el temor a Dios. Con razón, pudo decir: "habla, Señor, que tu siervo oye." Y fue un verdadero profeta del Altísimo. Los principios religiosos en la vida de los hijos es algo que ninguna madre consciente debe descuidar.

La madre de Samsón: Mi hijo se distinguió por una fuerza física muy grande. Realizó admirables proezas en favor de nuestro pueblo y fue el terror de sus enemigos. Siempre disfrutó de envidiable salud, pero hubo una razón en todo eso. Desde antes que naciera, mi hijo Samsón, el Angel de Jehová me ordenó que no tomara vino ni sidra ni comiera ninguna cosa inmunda. Y yo obedecí. Por eso creo y recomiendo a todas las madres que jamás tomen licor para que sus hijos sean fuertes y sanos.

Eunice: La herencia religiosa que recibí de mi madre Loida se la trasmití a mi hijo Timoteo. Yo soy Eunice y mi propósito fue instruir a Timoteo en el conocimiento de las Sagradas Escrituras, la Palabra de Dios. Y no fui defraudada en mis esperanzas, pues desde muy joven, mi hijo se consagró al servicio del Señor y fue un compañero muy útil del Apóstol Pablo. Por eso yo ahora aconsejo a todas las madres: "Instruye al niño en su carrera, que aun cuando fuere viejo no se apartará de ella."

La madre: Y tú, ¿quién eres? Tu porte es muy modesto y tu semblante humilde.

María: Yo soy María, a quien todos llaman la bienaventurada. Mi dicha es mayor a la de todas las mujeres, pues yo soy la madre de Jesús. Yo soy la esclava del Señor y él puso en mí su misericordia, sin merecerla. No tuve riquezas que ofrecerle a mi hijo, pero me esforcé por darle un buen ejemplo, y fui recompensada, porque mi hijo fue el más humilde y santo de todos los hombres.

(Luego, las madres de la Biblia, cantan: "Somos enviadas," con la música de "Un Raudal de Bendiciones").

Del Señor somos enviadas
a las madres a servir:
señalamos las pisadas
que se deben de seguir.
Es muy ardua la tarea
de en el mundo madre ser;
pero la que no se arredra
siempre tiene que vencer.

Buena madre, aquí nos tienes
para darte fe y valor;
de la vida los vaivenes
no les tengas gran temor.
Son los hijos la esperanza
del ansiado porvenir.
En Jehová pon tu confianza
y por él serás feliz.

La madre: Gracias, santas mujeres. Con la ayuda de Dios
me esforzaré a ser una madre ideal; cuidaré celosa-
mente a mi hijo e influiré con mis enseñanzas y mi
ejemplo a que sea un ciudadano útil, un verdadero
cristiano y un consagrado hijo de Dios.

*(Las madres de la Biblia desfilan hacia afuera mien-
tras la madre comienza a cantar: "Es Hermoso Madre
Ser," con la música de "Santa Biblia para Mí").*

Es hermoso madre ser
y en Dios siempre creer:
que él nos puede ayudar
nuestros hijos a formar.
Si hay valor, fe y lealtad
somos madres de verdad.

Gracias mil, oh Dios, te doy,
porque hija tuya soy.
Madre buena, dulce y fiel
con mi niño quiero ser:
dame, pues, tu clara luz
y el amparo de Jesús.
(Telón).

TEMPERANCIA

El Himno de la Temperancia

Juventud, entusiasta levanta
el glorioso pendón de la cruz
y el imperio del vicio quebranta
irradiando de Cristo la luz.
Muchos males agobian al mundo
y es preciso el remedio ofrecer,
vamos, pues, sin gastar un segundo
que en la vida hay mucho que hacer.

Enemigos mortales del hombre
son el juego, el tabaco, el licor,
que avergüenzan y manchan su nombre
y le quitan dinero y honor.
La lujuria, la gula y el baile
hunden vidas en la perdición;
por doquiera se miran los males
de nefanda y voraz corrupción.

Contra el vicio emprendamos la guerra,
con denuedo, vigor y tesón,
levantemos con fe la bandera
de una joven cristiana Legión;
"Temperancia" será nuestro grito
y el ejemplo daremos también:
de vencer todo vicio maldito
transitando la senda del bien.

(Se canta con la música del "Himno de la Enfermera").

Dramatización Libre y Moderna de la Parábola del Hijo Pródigo

(Puede representarse en un programa del Día de la Madre o si no en un programa de temperancia).

Personajes: Ricardo: el hijo pródigo, joven de unos diecisiete años; José: su hermano mayor, de unos ventiun años; Rosita: su hermana menor, de como quince años; don Francisco: padre del hijo pródigo; doña María: la madre del hijo pródigo, como de unos cuarenta y cinco años; Luisa, la sirvienta; Miguel: mozo de confianza; Luis, Julio y otro joven: los tres amigos de Ricardo; don Fermín y don Rosendo: dos caballeros; don Pedro y don Manuel: señores a quienes Ricardo les pide trabajo y César: el mozo de la hacienda donde trabaja el hijo pródigo.

Dramatización en Seis Cuadros

PRIMER CUADRO

(Hora: las seis de la mañana. Lugar: la casa de una hacienda, en el comedor. Aparece una sirvienta, Luisa, poniendo la mesa para el desayuno. Cuando ya está todo servido, dirige su voz hacia adentro y dice):

Luisa: Ya está servida la mesa. Pueden venir a tomar su café.

(Entonces una voz responde desde adentro):

Doña María: Sí, Luisa, vamos al instante. Espanta las moscas.

(Luisa, entonces, con una servilleta ahuyenta las moscas. Luego entran al comedor doña María, don Francisco, José y Rosita. Se sientan y empiezan a comer).

Doña María: ¡Ay! Pero Ricardito no se ha levantado. ¡Pobrecito, debe tener sueño!

José: ¡Y cómo no va a tener sueño, mamá! ¿Qué no te fijaste que anoche vino a las doce, por estar en grandes bailaderas en la fiesta de Clarisa, allá en la hacienda de Juan? Esta mañanita me lo refirió todo, uno de los mozos, en el corral.

Rosita: No digas nada, José. Como tú nunca sales, no quieres que Ricardo sea social. Y es una lástima que yo no haya ido con él, porque me parece que la vida es para gozar.

Don Francisco: No hables así, Rosita. Los encantos de la vida y los placeres del mundo son muy peligrosos para la juventud. Es mejor la vida reposada y andar en los caminos de Dios.

Rosita: Ah, mi papá; ya se volvió ridículo y fanático...

(En esto entra un mozo de la hacienda y le dice al patrón.)

Miguel: Ya ordeñé todas las vacas. Hay diez cubos llenos de leche.

Don Francisco: Está bien. Y dile a Narciso que enyunte los bueyes y arregle la carreta para que acarree la piedra. Debemos terminar la pila en toda esta semana.

Miguel: Muy bien, patroncito.

Doña María: Ve, Francisco, no le digas nada a Ricardo. Acuérdate que él es muy delicado.

Don Francisco: No te preocupes, María. Yo veo que ustedes miman demasiado a Ricardo, y eso más bien lo está perjudicando. Pero yo ya hice la determinación de no oponerme a sus insensatos proyectos. Que haga pues lo que quiera.

José: Y fíjate, papá, que Miguel también me contó que unos hombres le estaban insinuando a Ricardo a que se fuera de la casa y que ellos lo iban a llevar a conocer muchos lugares y a gozar, y lo tienen bastante mareado. Eso es lo que dejan las malas compañías. E imagínate que el otro día le encontré un paquete de cigarrillos y también me dijeron que ya se empinaba sus cervezas. Así comienza el vicio.

(En eso entra Miguel).

Miguel: Don José, ya vinieron los hombres que van a preparar el terreno para la siembra del maíz.

José: Sí, ya voy. *(Se toma el último trago de café. Se levanta y toma del suelo un machete y de la pared un sombrero de campo. Al salir dice):*
Ve qué horas, y el haragán de Ricardo no se ha levantado.

Doña María: Luisa.
Luisa: (Entrando). Señora, ¿qué se le ofrece?

Doña María: Levante la mesa, pero déjele su comida a Ricardito.

Luisa: Así lo haré, señora. *(Salen doña María y Rosita). (En eso entra el mozo de confianza y le entrega el periódico a don Francisco).*

Miguel: Aquí está el periódico, patrón. *(Sale).*

(Don Francisco lo toma y entonces saca de la bolsa unos anteojos; se los pone y comienza a leer quedándose sentado, mientras doña María y Rosita, se levantan de la mesa. Al levantarse, la señora dice en alta voz):

Doña María: Ricardito, ya debes levantarte. Aquí te queda tu café.

(Salen. Tras breves instantes, Ricardo se levanta y todo desaliñado se dirige al comedor y se sienta a comer. Don Francisco solo lo vuelve a ver por encima de los anteojos y sigue leyendo, mientras Ricardo comienza a comer).
Ricardo: Y al fin, ¿vendiste la hacienda de Las Flores, papá?

Don Francisco: Sí la vendí en 50,000 dólares. Precisamente, estaba leyendo aquí en el periódico el anuncio de la venta.

(*Ricardo sigue tomando su café y don Francisco leyendo. De vez en cuando se miran el uno al otro con cierta reserva. Ricardo parece muy meditabundo*).

Ricardo: (*De pronto y poniéndose de pie y afirmando las manos sobre la mesa*): Papá, dame la parte de la hacienda que me pertenece. (*se le queda mirando*).

Don Francisco: (*Se queda un momento pensativo; se quita los anteojos y los coloca sobre la mesa juntamente con el periódico*): ¿Conque al fin harás tu gusto, verdad?

Ricardo: Sí, papá, estoy fastidiado de esta vida monótona. Quiero libertad. Ya soy un hombre suficiente. El mundo es más alegre. Además, tengo derecho a mi herencia y me parece que puedo hacer de ella lo que me venga en gana.

Don Francisco: Dije que te dejaría hacer lo que tú quisieras. La insensatez de tus años juveniles te llevará al fracaso. Bien sé que tu experiencia será muy triste y amarga, pero tu madre y tu hermana tienen mucha culpa en tus desaciertos y descalabros. Cuando las riendas de la autoridad se aflojan y los desvíos de la juventud se toleran, las consecuencias son siempre ruinosas y malas. No obstante, hijo mío, cuando te veas golpeado del mundo, sabe que no hay sitio mejor que el hogar ni caminos superiores a los de Dios, y cual hijo pródigo puedes regresar. ¿Estás decidido a irte?

Ricardo: Sí, estoy decidido. No puedo faltarles a mis amigos.

Don Francisco: (*Sarcásticamente*): Los amigos... Luisa, ven al momento.

Luisa: ¿Qué se le ofrece, patrón?

Don Francisco: ¿Y María y Rosita, qué se hicieron?

Luisa: Las miré alistándose y les oí decir que irían al Salón de Belleza porque están invitadas al baile de esta noche en el Club Social.

Don Francisco: ¡Cuánta vanidad! Aman más los placeres del mundo que la obra del Señor. Pásame la caja del dinero que está allí en el ropero. Toma la llave. *(Le da la llave, y Luisa entra al aposento y trae la caja, poniéndola sobre la mesa).*

Luisa: Aquí está, patrón. *(Se va).*

Don Francisco: Muchas gracias, Luisa. Sigue en tu cocina, que aquellas mujeres de seguro que vendrán con un hambre fenomenal. Ven acá, Ricardo. Toma tu desgracia... quiero decir, tu herencia. *(Entonces le cuenta el dinero).* Mil, dos mil, cinco mil, veinticinco mil. Y que aprendas la lección, ¿eh? *(Sale don Francisco visiblemente enojado. Ricardo se queda, piensa un momento y luego, con manifiesta emoción, se echa las monedas a las bolsas, levanta los brazos y como alborozado, grita) :*

Ricardo: Ahora, Ricardo, a gozar de la vida. Eres libre, eres hombre. *(Entonces extiende su mirada por el cuarto, toma una corbata y un saco, los cuales se los pone despreocupadamente; sigue mirando y descubre una guitarra colgada y entonces la toma también, diciendo):* Y véngase también esta guitarra, me servirá de mucho. *(Luego sale muy alegre y cantando alguna tonada se va. Telón).*

SEGUNDO CUADRO

(Una sala con unas cuantas sillas y una mesa junto a la pared. En el centro aparece un grupo de unos cuatro jóvenes, todos sentados. En medio está Ricardo con su guitarra. Cuando se abre el telón se oye que todos se ríen a carcajadas).

Ricardo: Ese chiste sí que estuvo muy formidable. Nos hizo reír bastante.

Luis: Merece que te cantes otra canción. Tú cantas muy bien. *(Adulándolo, mientras, disimuladamente le cierra el ojo a los demás).*

Ricardo: A cantar se ha dicho y sólo por eso aquí tienes veinte pesos de regalo. Toma, chico. *(Se los da)*. No. Ya he cantado bastante; mejor vamos a jugar dinero.

Julio: Encantado, chicos, pero sería mejor que nos fuéramos a la cantina de Ramón, el bigotudo. Allí podremos también brindar por nuestro amigo Ricardo, quien ha venido a esta apartada provincia.

Ricardo: No hay miedo, chicos, traigo mucho dinero y podremos divertirnos toda la noche a nuestro sabor y gusto; esta es la vida que me encanta. Y ya saben que respondo a todo.

Los demás: (Levantándose): Vamos, pues, al momento, que ya es la hora en que aquellas guapas muchachas deben de estar llegando. Ricardo es el alcalde. ¡Adelante! *(Se vuelven a ver entre ellos mismos maliciosamente. Salen. Telón).*

TERCER CUADRO

(En la calle. A un lado aparecen dos caballeros conversando. De pronto les llama la atención una bulla que divisan y se quedan atentos. Son tres hombres que llevan casi de arrastradas a Ricardo, en estado de ebriedad. Pasan por la calle y entonces los caballeros entablan la siguiente conversación).

Don Fermín: ¡Pobrecito joven! Ni siquiera puede sostenerse. ¡Qué terrible es el vicio del licor! Y parece que es de buena familia, ¿quién será?

Rosendo: (Fijándose): ¡Cómo, Fermín, si es Ricardo, el joven que llegó por estos lados hace algunas semanas! Vive en una hacienda bastante lejos. Y oí decir que había traído mucho dinero y que lo andaba desperdiciando todo, viviendo perdidamente.

Fermín: A pues, de seguro que esos pillos lo hicieron tomar y le robaron el dinero.

Rosendo: Yo lo he visto andar con unas rameras y dicen que lo han dejado sin nada. Hasta una guitarra que traía con la cual plantaba grandes cantaderas, se la quitaron. Y lo peor del caso es que dicen que no sabe trabajar. Ningún oficio tiene.

Fermín: Hombre, ya se lo llevó la trampa. Porque con esta crisis y el hambre que acosa a toda la provincia, quién sabe cómo se las entenderá. En fin, esas son las consecuencias desastrosas del vicio. Si gustas, vamos a ver adonde lo llevan.

Rosendo: Vamos. *(Salen. Telón).*

CUARTO CUADRO

(En un parque. Ricardo, siempre con el mismo vestido, pero sucio y haraposo, aparece sentado sobre una banca, bastante triste y desilusionado. En eso pasa un señor y Ricardo lo llama).

Ricardo: Señor, tengo hambre, ¿no podría usted darme algún trabajito?

Don Pedro: ¿Y qué puedes hacer tú, joven?

Ricardo: Pues... *(Avergonzado).*

Don Pedro: ¿Entiendes de albañilería?

Ricardo: No, señor, de eso no.

Don Pedro: ¿Y de carpintería?

Ricardo: Pues tampoco. *(Cabizbajo).*

Don Pedro: A pues, siento mucho. No te puedo emplear. Yo necesito albañiles y carpinteros.

Ricardo se dispone a sentarse nuevamente cuando acontece a pasar otro señor, visiblemente rico. Ricardo lo detiene).

Ricardo: Vea, amigo, por favor, permítame un momento.

Don Manuel: (En tono orgulloso). ¿Qué quieres, muchacho?

Ricardo: Estoy con hambre. Apenas dos bollos de pan he comido hoy. ¿No tiene usted algún trabajito que yo pudiera hacer?

Don Manuel: ¿De goma, eh? *(Se queda algo pensativo).* Pues creo que sí. Precisamente, necesito uno que vaya a mi finca a cuidarme unos cerdos en el chiquero. Si tú quieres, puedes venirte conmigo. Yo voy para allá. Te pagaré a cincuenta centavos el día.

Ricardo: (Hablando para sí). ¡Apacentar cerdos! Dios mío, qué situación la mía. Y por sólo cincuenta centavos diarios. Pero qué se va a hacer. No puedo morirme de hambre. Siquiera de las algarrobas que le den a los puercos podré llenar algo mi estómago vacío. Bien me lo dijo mi padre. Bueno, señor, acepto el trabajo. *(Lo sigue. Salen. Telón).*

QUINTO CUADRO

(Ricardo aparece en el escenario cerca de la puerta trasera de salida, con los pantalones doblados hasta las rodillas, descalzo y con un palo en la mano. Su apariencia es de tristeza y de meditación. De pronto entra un mozo y vuelca un saco de guineos a los pies de Ricardo y le dice):

César: Aquí manda el patrón estos guineos. Son para los marranos. Hay doscientos guineos y le tocan diez guineos a cada puerco y dice el patrón que no te atrevas a comerte ni siquiera un guineo, porque es la ración completa de los animales.

(Se va. Ricardo comienza a tirar guineos hacia la puerta de salida, como si fuese el chiquero y habla en soliloquio):

Ricardo: Hártense, animales inmundos. Todavía ustedes tienen mejor suerte que yo. ¡Cuándo estando en mi casa os alzaría siquiera a ver. Sólo la desgracia de mis locuras pudo haberme traído hasta acá. Hasta dónde conduce el pecado. ¡Ay, si casi no tengo fuerzas! *(Se deja caer y queda sentado junto a los guineos).* ¡Qué situación más triste la mía! Y aquellos hombres a quienes llamé mis amigos, ¿qué se hicieron? ¡Ah, los amigos... bien recuerdo las palabras de mi padre! Todos me han abandonado. Mientras me vieron con dinero me rodearon, pero ahora que me ven sin un centavo y en tan grande calamidad todos me vuelven las espaldas. Así es la vida. Y bien que me lo hizo ver mi papá. Pero, ¿será posible que un hombre en mis condiciones pueda cambiar? ¿Habrá esperanza para mí? Recuerdo que mi papá dijo una vez que Dios ama a los pecadores, y que el que a él se llega lo perdona, lo salva y lo regenera. Estoy cansado de esta vida. Si pudiera regresar a mi hogar... *(Inclina la cabeza y solloza):* ¡Ay, tengo hambre!, cuántos jornaleros en casa de mi padre tienen abundancia de pan y yo aquí perezco de hambre. *(Se queda como dormido. Entonces se oye la música del himno "Ven, oh Pródigo, ven sin Tardar, te llama Dios," y luego lo canta un grupo de jóvenes y señoritas, dulcemente, tras bastidores. Al oír la última estrofa, Ricardo despierta, y siempre sentado se queda oyendo y meditando profundamente. Al terminar el canto, de pronto, como sintiéndose nuevo y muy resuelto se pone de pie, tira el palo y dice):* Me levantaré e iré a mi padre y le diré: Padre, he pecado contra el cielo y contra ti, y ya no soy digno de ser llamado tu hijo: házme como a uno de tus jornaleros. *(Luego, como dirigiéndose a los cerdos, dice):* Quedaos allí, animales inmundos. Yo voy a mi hogar. Yo soy el hijo pródigo. El Señor tenga misericordia de mí. *(Mirando al cielo. Sale con paso firme y expresión decidida. Telón).*

SEXTO CUADRO

(Una sala regularmente amueblada. Don Francisco está sentado en una mecedora, con una expresión de tristeza. Son como las 5 de la tarde. De pronto entra Luisa, la sirvienta):

Luisa: Don Francisco, ¿ya vino del campo José?

Don Francisco: No lo he visto entrar. Debe estar apurado cortando el maíz de su milpa.

Luisa: Entonces venga usted a cenar. Ya está servida la mesa.

Don Francisco: Creo que ahora no voy a cenar, Luisa: me siento muy triste, pues hoy justamente cumple Ricardo cuatro meses de haberse ido del hogar. *(Se va Luisa. Sigue hablando don Francisco):* ¡Pobrecito! ¿Dónde se encontrará mi hijo? Si tendrá quien le dé sus alimentos. Qué feliz me sentiría que fuera apareciendo hoy. Estoy dispuesto a perdonarlo, así como Dios nos perdonó en Cristo. *(Se sale a la puerta y mira a ambos lados del camino. De pronto divisa a un individuo y con algo de emoción, dice)* ¡Cómo! Si parece que es Ricardo, mi hijo. ¿Será posible? Dios mío, dame fuerzas. Pero... sí, sí, es mi hijo, Ricardo, como no, él es. *(Corre, aunque con dificultad y quiere abrazarlo, cuando Ricardo se deja caer de rodillas y grita emocionado):*

Ricardo: ¡Padre, he pecado contra el cielo y contra ti y ya no soy digno de ser llamado tu hijo! Haz... *(pero el padre no lo deja continuar y levantándolo, dice):*

Don Francisco: Bienvenido, hijo mío, a tu querido hogar. Todas las tardes salía al camino por ver si regresabas. Ven, entra. Siempre te queremos y si estás arrepentido de todo corazón, Dios te perdona por la sangre de su Hijo Jesucristo y nosotros también te perdonamos.

Ricardo: Sí, padre mío, estoy arrepentido, y quiero ser una nueva criatura, un verdadero cristiano. *(Entran a la sala. Doña María y Rosita se dan cuenta del regreso de Ricardo y salen corriendo a la sala, y cayendo ambas sobre él lo abrazan y besan y gritan):*

Doña María: Ricardo, hijo de mi alma casi desfallecemos por ti. Desde que te fuiste, tu hogar ha estado de luto. Somos felices ahora contigo, Ricardito.

Rosita: Sí, hermanito. Mucha falta nos hacías.

Don Francisco: Miguel, ven acá.

Miguel: Aquí estoy, patrón.

Don Francisco: Ve tú y Santos también y sacad el principal vestido y vestidle y poned un anillo en su mano y zapatos en sus pies, y traed el becerro grueso, y matadlo, y comamos, y hagamos fiesta, porque este mi hijo muerto era y ha revivido; habíase perdido y es hallado.

(Entonces sale el mozo y regresa trayendo los zapatos y se los pone y el anillo; luego, Ricardo se introduce al aposento para vestirse. En eso se acerca José, quien llega del campo, y se da cuenta de la bulla, pues los sirvientes se mueven de acá para allá arreglando la casa. Medio se asoma José y divisando a Miguel lo llama y le dice, algo enojado y sin entrar):

José: ¿Y a qué obedece tanta bulla? ¿Qué es tanta insolencia?

Miguel: Es que tu hermano Ricardo ha venido; y tu padre ha muerto el becerro grueso, por haberle recibido salvo.

José: ¡Cuánta injusticia! En lugar de darle una buena paliza, más bien le premian sus andanzas mundanas. *(En eso sale su padre y le dice):*

Don Francisco: Entra, José. Ven alégrate con el regreso de tu pobre hermano extraviado, pero que regresa arrepentido al hogar.

José: Eso no es justo ni bueno, papá. Cómo vas a creer tal cosa. He aquí tantos años te sirvo no habiendo jamás traspasado tus mandamientos y nunca me has dado un cabrito para gozarme con mis amigos; mas cuando vino este tu hijo, que ha consumido tu hacienda con rameras, has matado para él el becerro grueso.

Don Francisco: Hijo, tú siempre estás conmigo, y todas mis cosas son tuyas. Mas era menester hacer fiesta y holgarnos, porque este tu hermano muerto era. Y ha revivido; habíase perdido y es hallado.

(Entró entonces, pero de malas ganas, y junto a la pared hasta la parte interior de la casa en el mismo ins-

tante que Ricardo salía por el otro lado, del aposento, con su vestido nuevo, y colocándose en el centro de la sala, todos le rodean, llenos de alegría, mientras habla Ricardo).

Ricardo: Mis queridos padres, qué feliz me siento nuevamente en mi hogar al lado de vosotros. Ahora tengo otros propósitos para la vida. Estoy convencido de que el mundo es una perdición. Soy un hombre nuevo, regenerado por la gracia de Dios. Ahora me esforzaré por decirles a todos los jóvenes y a las señoritas que no amen las cosas del mundo, sino que se consagren al Señor. Yo les pido que me acompañen a cantar ese himno tan precioso: "Cuán Glorioso es el Cambio Operado en mi Ser."

Todos: Sí, cantemos. *(Entonces cantan la primera estrofa y el coro, acompañados de la música).*

(Telón)

La Botella que Todo lo Consume

Dramatización del cuento del mismo título, por Adolfo Robleto. Propio para un programa de temperancia.

ACTO PRIMERO

(Una sala. Hay una mesa de pobre presentación. Una botella colocada sobre la mesa y también un candil o una lámpara tubular. Los taburetes o sillas en mal estado. Una mujer, bastante joven, pero muy pobremente vestida y de aspecto triste, está sentada junto a la mesa, con la cabeza recostada sobre la mesa. Después de algunos momentos, levanta el rostro, frente al público y casi entre sollozos habla):

Madre: Si yo hubiera sabido todo lo que me sucedería al casarme con este hombre, estoy segura que lo habría pensado mejor. Pero ahora es tarde. Tengo que cargar con esta cruz tan pesada. Cuántas mujeres sufren igual desdicha a la mía. Y cuán incautas somos las jóvenes al no pedir la dirección de Dios en un asunto tan importante como es el amor. ¡Pobre mi hijito! Cómo se fue a la escuela sin tomar su café. Tendré que ir a la tienda a que me fíen algunas cositas, para que siquiera cuando venga de la escuela mi muchachito encuentre algo que comer. Qué ingrato que es mi marido. Todo lo gasta en las cantinas. Y hasta he tenido que engañar a mi hijo diciéndole que todo lo que me pide está en el fondo de esa botella maldita. Dios mío, ten piedad de mi arruinado hogar.

(Deja caer su rostro sobre la mesa. En eso entra su hijo de la escuela).

Madre: Cómo, hijito, ¿y por qué vienes tan temprano?

El niño: ¡Ay, mamacita! Como me fui sin tomar café me sentí muy débil. Y también tuve vergüenza de que me vieran mis compañeros de clase con estos zapatos tan rotos. Mamá, ¿y dónde están mis zapatos nuevos, que me dijiste me los tenías guardados? Yo me los quiero poner.

Madre: ¡Ay, hijito! Están allí en esa botella, y no sólo tus zapatos, pero allí también en el fondo de esa botella están tus vestidos y el pan que necesitas para alimentarte.

El niño: ¿Y cómo es eso, mamá?

(En este momento se oye desde adentro una voz áspera).

El padre: Mujer, ¿cuándo irás a la cocina a prepararme el café? Sólo de haragana vives. *(El niño sale, para conseguir una piedra).*

La madre: No seas ingrato, Alberto. Bien sabes que viniste ebrio a la una de la mañana, y ¿dónde me has dado dinero para hacer las compras?

El padre: (Entrando, todo desaliñado y con la expresión del vicio en su rostro): Anda a la tienda, que yo respondo...

La madre: Sí, como tú no te das cuenta. Si supieras

cuánto debo ya, que hasta me da vergüenza seguir pidiendo fiado la comida.

El padre: (*Jalándola del brazo y empujándola hacia adentro*): Digo que vayas a traer el jarro para la leche.

La madre: (*Casi llorando*): ¿Y qué leche voy a encontrar a estas horas? (*Salen hacia adentro. Al momento entra el niño con una piedra en la mano. Toma la botella y se sienta en el suelo y se pone a examinarla*).

El niño: ¿Estarán dentro de esta botella los zapatos como dice mamá? Voy a darme cuenta. (*Entonces con la piedra golpea la botella hasta quebrarla. Emocionado busca a ver si encuentra los zapatos y dice*): ¡Y cómo! Mi mamá me engañó. Aquí no hay zapatos ni nada. (*Se pone a llorar. En eso sale el padre del aposento y dice en alta voz*):

El padre: ¿Qué es eso? ¿Quién ha quebrado la botella?

El niño: (*Con miedo*): He sido yo, papá.

El padre: ¿Y por qué la quebraste? (*En tono suave*)

El niño: Yo quería ver si había dentro un par de zapatos nuevos... porque los míos están rotos, y mi mamá no los puede componer...

El padre: ¿Cómo podías imaginarte que hubiera dentro de la botella un par de zapatos nuevos?

El niño: Es mamá la que me ha dicho... Siempre que le suplicaba que me comprara un par de zapatos, me decía que mis zapatos y sus vestidos, y el pan y otras muchas cosas estaban en el fondo de una botella... y yo creía encontrar alguna de estas cosas dentro... Pero ya no lo haré más, papaíto.

El padre: (*Poniéndose las manos en la cabeza y algo entristecido*): Dios mío, ¡qué situación la mía! Está bien hijo querido, no te volverá a suceder esto. Dile a tu mamá que me voy y que no vendré hasta no ser un nuevo hombre y hacer frente a las necesidades de mi hogar. Adiós.

(Sale con paso firme, mientras su niño se queda sorprendido. A los pocos momentos entra de la cocina la madre con un jarro en la mano).

La madre: ¿Y tu papá, Albertito?

El niño: Se acaba de ir y dice que no vendrá hasta que sea un hombre bueno y traiga mucho dinero para la casa.

La madre: ¿Y no te dejó para comprar la leche?

El niño: No, mamacita.

La madre: ¡Ay, hijito; que se haga la voluntad de Dios! Vamos a comer nuestro bocadito aunque sea sin café. Pero nuestro Padre celestial no nos desamparará y él tendrá misericordia de nosotros. *(Salen. Telón).*

ACTO SEGUNDO

(Aparece la misma sala. La madre está sentada y sobre la mesa aparece una Biblia grande abierta y ella le está leyendo y explicando a su hijo Albertito, quien escucha atentamente):

El niño: Mamá, ya tarda en venir papá.

La madre: Sí, hijito. Pero yo tengo confianza en que el Señor lo trasformará, pues así le he estado pidiendo en mis oraciones.

El padre: (Entra de pronto, decentemente vestido y con un gran paquete sobre sus brazos): Hola, mi querida esposa y mi adorado hijo. *(Los abraza emocionado).*

Ellos: Hola, Alberto; hola papacito. ¿Y dónde estabas?

El padre: No me lo pregunten; sólo les diré que soy un hombre nuevo y de hoy en adelante seré buen esposo y buen padre. Aquí está este paquete que traigo para ustedes. Ya nada volverá a irse al fondo de aquella infame batella.

(La madre y el niño abren con alegría el paquete y sacan de allí zapatos, vestidos, etc.)

El niño: ¡Cuántas cosas mamá! Allí están mis zapatos, ¡qué bueno! Ahora sí no faltaré a la escuela y podré jugar con todos los niños, mamá.

La madre: Sí, hijo, Dios ha contestado mi oración. ¡Gloria sea a su nombre! Ahora creo que siempre seremos felices, y que, aunque seamos pobres, pero no faltará el pan en nuestro hogar. ¿No es así, Alberto?

El padre: Así es, mi querida esposa. Con la ayuda de Dios mi hijo nunca volverá a quebrar otra botella para buscar zapatos nuevos.

(Telón)

DIA DE LA BIBLIA

La Biblia

¿Qué es la Biblia? Es la luz
del mismo Dios soberano;
es la carta del Arcano
y la espada de Jesús.
Vivo espejo de la cruz,
manantial de vida y ciencia;
libro de mundial influencia
que al leerlo con fruición:
purifica el corazón
y alumbra la conciencia.

Libro eterno, libro santo;
libro de gloria inmortal;
es su origen celestial
y de Dios sublime canto.
Habla de risa y de llanto,
habla de gozo y tristeza;
Dios en ella nos expresa
su poder y santidad,
de su ser la eternidad
y de su amor la grandeza.

El mismo Dios es su autor,
pero muchos la escribieron:
inspirados todos fueron
del más vivo y santo ardor.
Ruth nos habla del amor
en tierna y bella canción,
y nos causa admiración
de Daniel sus profecías
y si llora Jeremías
ríe el sabio Salomón.

¿Quién es ese que descuella
por tener ardiente celo,
por parecer que del cielo
robó el fulgor a una estrella?

¿Quién es porque en lengua bella
habla tanto del Mesías,
y tienen sus profecías
de cadencioso y angélico?
Es el profeta evangélico,
el visionario Isaías.

Y ese anciano venerable
que conduce a Israel
a la tierra do la miel
es tan rica y saludable;
ese ser infatigable,
jamás dado a la doblez,
decidme, oh Biblia, quién es,
y en do su nombre se esconde:
Y el Pentateuco responde:
el victorioso Moisés.

Trece epístolas tenemos
que San Pablo nos legó;
doctrinas allí escribió
que con gozo hoy aprendemos
Cuántas veces las leemos,
nos llenamos de emoción,
y se siente el corazón
con deseos de vivir
vida santa y así ir
a la célica mansión.

Y este cántico sublime,
este poema de amor,
tiene por tema al Señor,
quien con su sangre redime
a cualquiera que aproxime
su transido corazón.
Ella nos da la razón
de que el hombre necesita
poner en la cruz su cuita
para obtener el perdón.

¡Oh, qué libro tan hermoso!
¡Oh, qué libro tan perfecto!
Cúmplelo y serás correcto,
léelo y serás dichoso.

Sus letras destilan gozo,
su mensaje es el amor;
es la joya del Orador,
del invicto Jehová;
siempre ha sido y será:
de los libros el mejor.

La Biblia

Letra adaptada a la música del himno: "Mirad el Gran Amor", Núm. 145, "Himnos Favoritos".

La Biblia es el libro de Dios,
Aleluya, aleluya.
En él oímos su voz,
Aleluya, aleluya.
Como él no hay otro igual
su origen es celestial,
su mensaje es el amor,
Aleluya, gloria a Dios.

(Dúo de obligato)

Aleluya, aleluya,
Aleluya, dad a Cristo Rey;
Aleluya, aleluya,
por la Biblia, nuestra ley.

Coro;

Aleluya, aleluya,
Aleluya, dad a Cristo Rey;
Aleluya, aleluya,
por la Biblia, nuestra ley.

Los ángeles quieren mirar,
Aleluya, aleluya;
y sus bellezas contemplar,
Aleluya, aleluya.
¡Oh sublime revelación
de amor encuentro en la cruz,
que en ella murió Jesús!
para darnos salvación.

(Dúo y coro).

La Biblia es la única verdad,
Aleluya, aleluya,
que nos guía a la santidad
Aleluya, aleluya.
Por los siglos ha de vivir
victoriosa en gloria y poder,
y si yida quieres sentir
hoy comiénzala a leer.

La Biblia y su Influencia Poderosa

(Explicación: Aparece en una esquina del escenario una señorita, con vestido largo, una cinta extendida sobre su pecho, que dice: "La Biblia" y con una Biblia en sus manos. Enfrente de ella y juntas aparecen cuatro señoritas con vestidos largos también y con cintas con sus respectivas inscripciones. Ellas representan en su orden: la nación, la escuela, el hogar y la iglesia).

La nación: ¿Véis ese libro? Es la Biblia. El libro más maravilloso, más útil, más conocido. Yo represento a la nación y tengo una palabra de agradecimiento para la Biblia. Porque ese libro ha ejercido saludable y benéfica influencia en mi vida y en mi historia. Tengo muchos enemigos, todos ellos hipócritas, que pretenden hacerme bien cuando sólo males me ocasionan; sus nombres los conocéis, pues que a vosotras también os persiguen: ellos son el maldito licor, la prostitución, los juegos de azar y otros más; pero cuento entre mis mejores amigos a la Biblia, porque ella es una consejera insuperable. Me señala una pauta digna a seguir y me presenta una base firme sobre la cual pueda levantar el edificio de mi historia. Me dice que la justicia me engrandece, mas que el pecado me afrenta. Y así es. Lo veo en mis hermanas las demás naciones. Los Estados Unidos son una nación grande y próspera porque sus cimientos están en la Biblia. Como yo quiero ser grande también, voy a fomentar la circulación de la Biblia, a estimular su lectura y a regir mi vida por sus principios. Y por vosotras, ¿ha hecho algo este libro?

La escuela: Sí. Yo represento a la escuela. Por mí pasan todas las generaciones, los futuros ciudadanos y padres de familia. Gracias a la influencia de ese libro las escuelas públicas tuvieron su origen en Alemania en el siglo diez y seis. La Biblia contiene la más alta y ennoblecedora enseñanza. Ella me ayuda a forjar el buen carácter en la juventud; también me es una muralla de defensa en contra de las enseñanzas dañinas del escepticismo, del materialismo y del racionalismo. En ella aprendí que el principio de la sabiduría es el temor de Jehová.

El hogar: Pues, amigas mías, yo soy el hogar y no puedo quedarme atrás. Tengo también, como vosotras, una palabra. Los hogares constituyen la armazón ósea en el organismo de toda nación. Yo debo mucho a ese libro. Lo bueno que hay en mí, ella me lo ha proporcionado. Yo leo sus páginas benditas diariamente. Mi vida moral está muy amenazada, pero en ella encuentro baluarte y refrigerio. Los mejores hogares son aquellos que no se apartan de sus sabias enseñanzas. "Instruye al niño en su carrera, aun cuando fuere viejo no se apartará de ella".

La iglesia: Mi turno ha llegado. Yo soy la iglesia, y quizás, más que vosotras, tengo que agradecer a la Biblia, porque en gran parte a ella debo mi existencia. Desempeño una misión divina en el mundo, y soy la luz inextinguible de Dios en la tierra; pero mis triunfos todos se los debo a ese libro. Cuando me ciño estrictamente a él, la victoria me sonríe; cuando, como en algunos períodos tristes de mi historia, me alejo de sus enseñanzas, el fracaso me abate. Toda mi savia la saco de allí; ella me es manantial de vida y espada invencible del Espíritu. La guardo en mi seno como la herencia más preciosa y el más rico de los tesoros. Con ella iré siempre, de lucha en lucha, hasta la culminación de los siglos.

La Biblia: Os he escuchado con suma atención y marcado interés. Agradezco vuestras palabras. Pero os deseo decir, que toda esa grandeza, esa influencia y ese poder, no son míos; se los debo a Cristo, el Hijo de Dios, porque él es el centro de mi mensaje, el corazón que me da vida; sin él yo sería un libro como cualquier otro libro. Mi misión es proclamar su nombre; mi ideal, manifestar su gloria; mi ambición, que todos los hombres lleguen a conocerle como su Salvador.

Sí, y como lo habéis reconocido, yo soy la Biblia. Yo abro mis páginas de oro a los que me buscan. Para todos tengo un mensaje de amor. Si estás triste, en mí hay alegría; si estás sediento, yo doy el agua de la vida; si estás hambriento, yo regalo el pan sustancia.

Yo vengo de un lugar: el cielo; vivo en un mundo: la tierra; proclamo un mensaje: el evangelio; apelo a un ser: el hombre; glorifico a mi autor: Dios. El secreto de mi grandeza, el centro de mis palabras y el sello de mi victoria es Jesús.

Yo soy luz: quiero guiarte; yo soy verdad: quiero instruirte; yo soy vida; quiero salvarte.

Yo soy la carta del viajero, la estrella del navegante, la espada del soldado y el arma invencible del cristiano.

Lee mis palabras, predica mis mensajes, ama mis enseñanzas; obedece mis mandamientos y vive mis preceptos.

Mis triunfos y todo lo pongo humildemente a los pies de Jesucristo.

(Entonces todas cantan la siguiente estrofa, con la música de "Loor a ti, mi Dios, en Esta noche," No. 29 del "Nuevo Himnario Evangélico."

Loor a ti, Señor, por tu palabra,
porque ella nos anuncia tus piedades;
tu Espíritu por siempre nos dirija:
en el estudio de estas tus verdades.